Chère lectrice,

Avez-vous remarqué que, parfois, la vie — ou le destin, appelez cela comme vous voudrez — fait des pieds et des mains pour vous empoisonner ? Une tuile vous tombe dessus — Bing ! — et, débrouille-toi pour gérer ça ! Sur le moment, on râle et on en veut à la terre entière. Puis, petit à petit, bien obligée de trouver des solutions, on s'aperçoit avec plaisir qu'on est beaucoup plus maligne et forte qu'on ne le pensait. Dans 80% des cas, l'épisode se couronne même d'une très heureuse surprise et d'un happy end qu'on n'espérait pas.

Voilà, justement, le cas de figure qu'affrontent héros et héroïne de ce mois, très « Rouge passion ». Lucie se fait voler la vedette le jour de ses trente ans par une demi-sœur jalouse et capricieuse qui choisit de se marier précisément ce jour-là (*Juste une aventure ?* N° 1093). Nikki se trouve empêchée de toucher son héritage et de financer son centre d'accueil parce qu'elle est célibataire (*Un mariage si convenable...* N° 1095). Rachel, dont la vie est déjà très compliquée, voit débouler un inconnu embauché par sa mère, sans son avis, pour « l'aider », paraît-il... (*Une irrésistible promesse* N° 1098). Quant à notre Homme, dans un roman signé « Un bébé sur les bras », le voilà qui découvre dans le cockpit de son avion privé... un bébé vagissant (*Bébé à bord!* N° 1098)

Comment s'en sortiront-ils, tous, et chacun à sa manière ? A vous de le découvrir au fil de vos lectures !

Au fait... Naturellement, ce mois-ci, vous retrouverez votre « Suspense » (*Equipe de nuit* N° 1094) et un certain *Châteaux en Ecosse* N° 1097) qui devrait vous plaire,

A bientôt,

La responsable de collection

Equipe de nuit

MERLINE LOVELACE

Equipe de nuit

HARLEQUIN

COLLECTION ROUGE PASSION

Cet ouvrage a été publié en langue anglaise
sous le titre :
RETURN TO SENDER

Traduction française de
DENISE NOËL

Originally published by SILHOUETTE BOOKS,
division of Harlequin Enterprises Ltd.
Toronto, Canada

83-85, boulevard Vincent-Auriol, 75013 Paris — Tél. . 01 42 16 63 63
Service Lectrices — Tél . 01 45 82 47 47
ISBN 2-280-11860-2 — ISSN 0993-443X

1.

Rio de Janeiro ! Ses immenses plages de sable blond, sa baie d'azur dominée par le célèbre Pain de Sucre, ses rues animées par une foule en liesse les jours de Carnaval...

Sheryl Hancock interrompit quelques minutes son travail pour contempler, rêveuse, la carte postale colorée. Autour d'elle résonnait comme chaque matin le brouhaha du centre de tri : bourdonnement des conversations, chuintement des enveloppes glissant les unes sur les autres, cliquetis des lettres tombant dans les casiers de métal...

L'espace d'un instant, les bruits familiers se transformèrent en rythmes endiablés, le son d'un orchestre de maracas retentit à ses oreilles tandis que passaient devant ses yeux des images de foule dansant la samba.

— Encore un message de ce cher Paul ?

Sheryl sursauta. Elle secoua ses cheveux blonds et regarda avec étonnement autour d'elle comme si elle découvrait pour la première fois la poste d'Albuquerque, Nouveau-Mexique, où elle travaillait depuis douze ans. « Retour à la réalité », pensa-t-elle. Et elle se tourna vers la jeune femme qui travaillait à ses côtés.

— La carte vient de Rio cette fois-ci, dit-elle.

— De Rio ? Eh bien, dis donc, j'ai l'impression qu'il voyage beaucoup ce cher Paul.

Repoussant une mèche de ses cheveux flamboyants, Elise Hart abandonna un moment la pile d'enveloppes qu'elle était en train de trier et se pencha par-dessus l'épaule de Sheryl. Une expression d'émerveillement intense passa dans ses yeux bruns. De toute évidence, le paysage de rêve qu'elle avait devant elle exerçait sur elle le même effet magique que sur sa collègue.

— Qu'est-ce qu'il raconte ? Lis vite ! dit-elle en trépignant.

Sheryl retourna la carte.

— « Ma petite tante adorée. Je danse depuis quatre jours dans les rues de Rio et je regrette de tout mon cœur que tu ne m'aies pas accompagné. »

Elise ferma les yeux et poussa un long soupir.

— J'aimerais tellement pouvoir confier mes deux garçons à ma mère et m'envoler pour le Carnaval de Rio.

Sheryl haussa les épaules.

— Tu te vois en train de voyager en ce moment ? Je te rappelle que tu es enceinte de huit mois.

— Huit mois, une semaine et deux jours exactement, précisa Elise en faisant la grimace. N'empêche que je m'imagine très bien en train de danser avec ce pacha de Paul.

— Je suis ton ange gardien, ne l'oublie pas ! la gronda Sheryl, et je t'interdis de commettre la moindre imprudence. Et puis d'abord, pourquoi traites-tu Paul Gunderson de « pacha » ?

— Ah, c'est vrai que tu ne le connais pas ! Il est venu ici un jour où tu t'étais fait remplacer. Il accompagnait sa tante et en le voyant, j'ai trouvé qu'il ressemblait à un pacha. Il est grand et costaud, taillé comme une armoire à glace, il porte une petite moustache et il est habillé comme un prince.

— Très séduisant apparemment, railla Sheryl.

Elle se méfiait des hommes. Des play-boys surtout. Et des beaux parleurs. Elle avait gardé un très mauvais souvenir de son père, représentant en produits pharmaceutiques qui voyageait beaucoup, soi-disant par nécessité professionnelle, en réalité parce que ça l'arrangeait bien. Il se souciait peu de sa famille et lorsqu'il rentrait à la maison, c'était pour se quereller avec son épouse. Un jour, il n'était plus revenu. Sheryl avait souffert de cette absence durant son enfance et maintenant encore, elle n'aimait pas évoquer cette période. Pour chasser ces souvenirs pénibles, elle taquina Elise sur sa facilité à s'éprendre du premier séducteur venu.

— En tout cas, ton Paul a l'air d'être aux petits soins pour sa tante, conclut-elle. Mme Gunderson est une dame d'un certain âge, distinguée et fragile, et elle doit apprécier les attentions dont il l'entoure.

— Ça doit être drôlement agréable de se laisser chouchouter par un si beau garçon, s'exclama Elise.

Elle caressa son ventre rebondi et ajouta en riant :

— Je devrais me méfier des hommes après le coup que m'a fait mon ex-époux et le beau cadeau qu'il m'a laissé. Mais la leçon n'a pas porté ses fruits, apparemment. Je crois que je suis incorrigible...

Bien souvent, par le passé, Sheryl s'était mordu les lèvres pour ne pas critiquer le mari de son amie. Mais depuis leur divorce, sept mois plus tôt, elle ne se privait plus de faire des commentaires.

Elise ajouta avec un petit sourire en coin :

— Tout le monde n'a pas la chance de fréquenter un homme aussi parfait que Brian.

Comme chaque fois qu'on prononçait le nom de son futur fiancé, le cœur de Sheryl se mit à battre la chamade. Instantanément, elle oublia les merveilles du Carnaval de Rio et les déboires de son amie.

— C'est vrai que j'ai beaucoup de chance, approuva-t-elle.

— Vous avez fixé la date de vos fiançailles, Brian et toi ?

— Non, pas encore. Nous y penserons en fin d'année.

Les yeux bruns d'Elise scintillèrent de malice.

— Vous y penserez, vous y penserez... Si je comprends bien, Brian hésite toujours à s'engager.

Sheryl ne répondit pas. C'était un sujet dont elle préférait ne pas discuter. Ses relations avec Brian étaient au beau fixe et elle approuvait ses décisions. Employé dans une agence immobilière, le jeune homme attendait une promotion. Sheryl et lui s'étaient promis de fixer la date de leur mariage dès qu'ils auraient trouvé la maison de leurs rêves. Encore fallait-il pour cela qu'ils eussent suffisamment de revenus pour contracter un emprunt et, ensuite, rembourser les mensualités.

— Ce que j'aime surtout chez Brian, c'est son sérieux, dit rêveusement Sheryl.

— Son sérieux et le reste, non ?

— Oh ! s'exclama Sheryl en rougissant.

Elise pouffa de rire.

— Non mais, regardez-moi cette hypocrite ! Tu caches bien ton jeu, ma chérie, mais ça ne prend pas avec moi. Je te connais bien, va !

— Moi ? riposta Sheryl d'un air offusqué. Arrête donc de dire des bêtises, et dépêche-toi plutôt. Dans cinq minutes, le bureau va ouvrir ses portes au public et il te reste un tas de courrier à trier.

La carte de Rio rejoignit le paquet de brochures publicitaires et de lettres destinées à la boîte postale 89212 et adressées à Mme Gunderson. Lorsque Sheryl voulut glisser le tout dans le casier, elle s'aperçut que celui-ci était déjà plein. Fronçant les sourcils, elle déverrouilla la porte et en vérifia le contenu.

Le courrier n'avait pas été relevé depuis deux jours.

Etrange, songea la jeune femme.

Mme Gunderson avait l'habitude de venir chercher son courrier tous les matins. Très souvent même, elle bavardait gaiement avec les employés, son petit chien noir et blanc bien toiletté, niché sous son bras.

— C'est un pékinois ? avait demandé un jour Sheryl.
— Un Shih Tzu, avait rectifié Mme Gunderson. C'est une race très rare, qui vient du Tibet.

Les chiens étaient interdits dans le bureau, mais personne n'aurait osé en faire la remarque à la vieille dame. Elle aimait tellement son petit Puppy et elle était si gentille ! Parfois, elle offrait même aux employés de délicieux cookies faits maison, ou des cakes qui fondaient dans la bouche.

Alors qu'elle refermait le casier 89212, un soupçon traversa l'esprit de Sheryl. Et si Mme Gunderson était malade ? Ou blessée, seule chez elle ?

Pour dissiper ses craintes, elle se promit, dès qu'elle serait libre, d'aller jeter un coup d'œil au domicile de la vieille dame.

Elle regarda l'heure. Le bureau ouvrait dans quelques minutes. Comme elle était responsable des caisses, elle se rendit dans la chambre forte afin d'y prélever l'argent nécessaire aux opérations de la matinée.

A l'heure exacte, les portes du bureau s'ouvrirent. Assises derrière leur guichet, le sourire aux lèvres, les employées attendaient les clients.

La matinée se passa sans que Mme Gunderson vînt chercher son courrier.

Pendant la pause du déjeuner, Sheryl consulta un registre confidentiel où étaient consignées les adresses de tous les abonnés aux boîtes postales, et découvrit que le quartier où habitait Mme Gunderson possédait sa propre agence postale.

Bizarre, se dit-elle. Pourquoi cette femme âgée, et de santé fragile, se faisait-elle adresser son courrier à l'autre bout de la ville ?

Sheryl, Elise et quelques autres employés qui avaient commencé leur travail à 6 h 30 du matin achevaient leur journée à 15 heures. Laissant son amie aux prises avec une cliente, Sheryl quitta son poste à l'heure juste. Elle jeta un rapide coup d'œil à la boîte postale 89212 et constata que personne n'était venu en réclamer le contenu. Le visage soucieux, elle s'engagea dans le dédale de couloirs qui, à l'arrière du bâtiment, conduisait au vestiaire du personnel.

Elle se débarrassa de sa blouse d'uniforme, sous laquelle elle portait un chemisier blanc, sans manches, et un short kaki. C'était sa tenue préférée en été.

Son sac en bandoulière, elle alla attendre Elise sous la pendule murale.

— Je ne rentre pas avec toi aujourd'hui, dit-elle à son amie lorsque celle-ci la rejoignit. J'ai rendez-vous avec Brian à 4 heures pour aller visiter une maison.

Les deux jeunes femmes s'embrassèrent, et Sheryl quitta l'immeuble en direction du parking.

Le soleil lui fit l'effet d'une douche brûlante. Coincée dans un cirque de montagnes, la ville d'Albuquerque semblait chauffée à blanc. La jeune femme traversa rapidement le parking en direction de sa vieille Toyota bleue et ouvrit les portières pour qu'un courant d'air circule à l'intérieur.

La chaleur était si accablante qu'un instant, Sheryl fut tentée d'oublier ses bonnes résolutions. Ce serait tellement plus agréable de passer par son appartement pour prendre une douche fraîche avant de rejoindre Brian ! Puis elle se souvint du sourire timide de la vieille dame et de sa silhouette fragile. Elle poussa un soupir. Après tout, il lui suffisait de faire un détour par les quais du Rio Grande pour atteindre le quartier où résidait Mme Gunderson.

Elle s'installa au volant, ferma les portières et brancha l'air conditionné. A la sortie du parking, elle se dirigea vers le centre d'Albuquerque, s'émerveillant une fois de plus que l'ancien quartier espagnol de la ville eût été si bien restauré.

Un quart d'heure plus tard, elle s'engageait dans une avenue ombragée, à peu près déserte et bordée de coquets pavillons de deux étages, en brique rouge, séparés de la rue par des jardinets. Quelques véhicules étaient garés le long des trottoirs, mais il n'y en avait aucun devant le pavillon où Sheryl s'arrêta.

La jeune femme sortit de la voiture et resta quelques instants pensive, les yeux fixés sur la façade de la maison silencieuse. Peut-être Mme Gunderson avait-elle laissé sa voiture au garage, ou bien était-elle tout simplement partie faire des courses en ville. Mais aussitôt après elle imagina la vieille dame blessée dans son escalier, le col du fémur brisé, attendant les secours... Tous les volets des alentours étaient fermés. Ses appels ne risquaient donc pas d'être d'entendus par les voisins.

Debout sur le trottoir brûlant, Sheryl se sentait devenir moite des pieds à la tête. Elle regretta de ne pas s'être fait couper les cheveux. Par cette canicule, ils bouclaient et devenaient impossibles à coiffer. Rejetant en arrière les longues mèches blondes qui lui collaient aux joues, elle poussa la barrière et marcha jusqu'au porche qu'encadraient les feuilles hautes et pointues de deux yuccas.

La porte d'entrée était en acajou, vitrée dans sa partie supérieure et protégée par une grille en fer forgé.

Après une brève hésitation, Sheryl appuya sur la sonnette.

Elle entendit, comme un écho, une série de jappements plaintifs. Puis le silence se fit de nouveau.

Son inquiétude se transforma alors en véritable angoisse. Jamais Mme Gunderson ne serait sortie sans son chien. Tous deux étaient inséparables. Elise prétendait même que Puppy ressemblait à sa maîtresse : même petit nez aplati, même regard inquisiteur, même frange blanche ébouriffée...

Sheryl sonna une seconde fois, déclenchant un nouveau concert d'aboiements.

Elle se mit à taper du poing contre le battant de bois et appela :

— Madame Gunderson, vous êtes là ?

Un long hurlement lui répondit.

Elle essaya de regarder à travers la vitre, mais le verre dépoli ne permettait aucun regard indiscret.

— Madame Gunderson, est-ce que vous allez bien ? cria-t-elle encore.

Enfin, lassée de n'avoir pour réponse que les aboiements du chien, Sheryl décida de tourner le bouton de cuivre. Elle n'eut pas le temps de terminer son geste. La porte s'ouvrit brusquement et, perdant l'équilibre, la jeune femme plongea en avant. Elle eut juste le temps d'apercevoir une veste en lin chiffonnée et une chemise de coton bleu, et se retrouva le visage écrasé contre une large poitrine masculine.

Reculant vivement pour affronter cet obstacle imprévu, elle glissa sur le paillasson et de nouveau, perdit l'équilibre. Une main ferme la rattrapa par un bras, stoppant net sa chute et l'empêchant de s'échapper par la même occasion.

A ce moment, telle une fusée noire et blanche, Puppy jaillit du fond du vestibule. Les babines retroussées, il se mit à sauter comme s'il était monté sur ressorts. Ses mâchoires claquèrent sur la manche de l'homme, puis sans demander son reste, il fila à l'extérieur par la porte grande ouverte.

— Sale bête ! maugréa l'inconnu.

Sans lâcher pour autant le bras de Sheryl, il se précipita à la poursuite de l'animal. Ivre de liberté, poussé par son instinct de chasseur, Puppy, la truffe au ras du sol, courait dans les allées du petit jardin.

Sheryl se débattit et tenta de se libérer. N'y réussissant pas, elle planta ses ongles dans la main qui serrait son bras.

— Lâchez-moi, hurla-t-elle ! Vous êtes complètement fou, ma parole !

Au comble de la rage, elle invectivait à la fois l'homme et le chien. Elle venait d'éprouver la plus belle peur de sa vie. Elle ne savait pas qui était cet individu, ni ce qu'il faisait dans la maison de Mme Gunderson, mais une chose était sûre : Puppy le détestait et c'est pour cela qu'il avait essayé de le mordre.

Il fallait avertir la police le plus vite possible ! Mais pour l'heure, sourd à ses protestations, apparemment insensible à ses coups de griffes, l'homme la tenait fermement par le bras.

Soudain, le chien s'arrêta, fit demi-tour et fonça vers eux.

Le premier réflexe de l'inconnu fut de saisir Sheryl par la taille et de la serrer étroitement contre lui. De nouveau, la jeune femme buta du front contre la veste en lin. En même temps, du pied, l'homme essayait de repousser Puppy.

A demi étouffée, la respiration bloquée, Sheryl sentait monter en elle une fureur semblable à celle du petit chien. Elle se débattit en frappant de ses deux poings les épaules de l'homme.

— Laissez-moi partir ! cria-t-elle avec l'énergie du désespoir.

L'inconnu desserra un peu son étreinte, pas assez pour la libérer, mais suffisamment pour dégager son bras droit, se pencher et saisir le chien par le collier.

Sheryl continuait à se débattre et à hurler.

— Ça suffit maintenant, dit l'homme. Calmez-vous ! Je ne vous veux aucun mal.

La jeune femme se tut, haletante, la poitrine serrée comme dans un étau, les jambes tremblantes. Des points lumineux dansaient devant ses yeux. Elle sentait son sang marteler ses tempes.

La pression de l'homme se relâcha. Sheryl inspira une grande bouffée d'air et se sentit mieux.

Elle aperçut, coincé sous le bras de son agresseur, le petit chien qui se débattait désespérément.

Pour la première fois, elle prit le temps de détailler l'homme. Grand, solidement charpenté, il était brun, au teint mat. Son visage était tanné par le soleil et une fine moustache ornait sa lèvre supérieure.

Une moustache !

Sheryl examina de nouveau l'inconnu avec attention. Veste et chemise de bonne coupe, jean clair, mocassins de prix. Chic et décontracté.

En un clin d'œil, elle comprit à qui elle avait affaire...

Le « pacha » d'Elise !

La jeune femme sourit. Son amie avait vraiment le sens de l'exagération ! Si cet homme, comme elle le pensait, était Paul Gunderson, le portrait que lui en avait fait Elise était passablement outré. A part la moustache...

En réalité, le neveu de Mme Gunderson n'avait rien d'un pacha. Ses traits, réguliers mais durs, semblaient taillés dans la pierre, et sa carrure était celle d'un rugbyman.

Elle cessa de sourire. Les sourcils froncés, l'homme la fixait d'un regard froid, inquisiteur. Le Shih Tzu toujours coincé sous le bras, il la libéra comme à regret.

— Je suis désolé, dit-il du bout des lèvres. Est-ce que vous allez bien ?

— Plus ou moins.

— Allons, ça suffit maintenant ! Tiens-toi tranquille !

Un instant, Sheryl crut que l'ordre s'adressait à elle, puis elle comprit que l'homme parlait au chien. Puppy se calma, se contentant de gronder en la regardant, guettant le moindre de ses gestes.

L'homme la dévisageait maintenant, goguenard. Personne ne l'avait jamais regardée ainsi, surtout pas Brian qui se montrait toujours courtois et respectueux envers elle.

— Que puis-je faire pour vous, mademoiselle... ?

— Hancock. Sheryl Hancock.

Sans bien savoir pourquoi, elle éprouva le besoin de se justifier.

— Je connais votre tante, ajouta-t-elle. Je suis passée prendre de ses nouvelles.

Un éclair brilla dans les yeux dorés de l'homme.

— Vous connaissez Inga ?

— Oui.

Sheryl eut une hésitation.

— Vous êtes bien Paul Gunderson, n'est-ce pas ?

Il resta silencieux un bref instant avant de demander :

— Qu'est-ce qui vous fait penser que je suis le neveu d'Inga ?

— Votre moustache, avoua-t-elle en esquissant un vague sourire. Votre tante parle souvent de vous.

— Vraiment ?

— Oui. Elle dit même que vous réussissez à merveille dans votre profession. L'import-export. A ce que j'ai cru comprendre...

Brusquement, elle changea de sujet.

— J'étais inquiète lorsque j'ai découvert que Mme Gunderson n'était pas venue prendre son courrier depuis deux jours.

— Rassurez-vous, elle se porte comme un charme. Elle se repose au premier étage.

Sheryl s'interrogeait : pourquoi la vieille dame ne s'était-elle pas manifestée en entendant sonner et taper du poing contre sa porte ? Et pourquoi, seul le chien avait-il répondu ?

— Si votre tante n'est pas malade, murmura-t-elle, je suis rassurée...

Mais reprise par ses doutes et sentant de nouveau la peur la gagner, elle fit mine de se diriger vers la rue.

L'homme esquissa un pas de côté et lui barra le chemin.

— Pourquoi n'entreriez-vous pas un moment ? suggéra-t-il. Vous avez piqué ma curiosité, je l'avoue. J'aimerais beaucoup savoir ce qu'on vous a raconté sur moi.

— Je regrette, dit Sheryl, mais j'ai un rendez-vous à 4 heures.

Il jeta un coup d'œil à sa montre.

— Allons, vous avez largement le temps de prendre un verre, dit-il d'un ton aimable. Il y a du thé glacé au réfrigérateur, et je peux même vous offrir de délicieux cookies.

La perspective d'un thé glacé décida Sheryl. Quant au chien, il paraissait maintenant accepter sa présence. Toujours coincé sous le bras de Paul, il semblait plus triste qu'agressif. La barrette en strass qui retenait ses longs poils sur le dessus de sa tête avait glissé sur le côté, et ses gros yeux semblaient implorer Sheryl de lui pardonner l'indignité de son accueil.

Elle ne pardonnait rien. L'animal avait réagi exactement comme elle s'y attendait. Et ce n'était pas la première fois qu'il l'agressait de la sorte. Une fois déjà, au bureau, elle avait allongé la main pour le caresser et il avait répondu en montrant les crocs. Exactement comme il était en train de le faire en ce moment chaque fois qu'il levait la tête vers son tortionnaire.

L'homme laissa échapper un juron.

— Cette affreuse boule de poils a un caractère de cochon. Comment peut-on s'enticher d'une bête pareille ? C'est vraiment un truc qui me dépasse !

Curieusement, le fait que le neveu d'Inga Gunderson partage son point de vue sur le chien modifia l'opinion de Sheryl. Elle se sentit soudain des affinités avec lui et accepta son invitation en souriant.

Il s'effaça pour la laisser entrer dans le vestibule.

Tout à l'heure, préoccupée par ses exercices d'équilibriste, la jeune femme n'avait pas dépassé le pas de la porte. Tandis qu'elle avançait dans le couloir, un froid glacial la saisit, l'enveloppant comme un linceul. Pourtant, elle était habituée à l'air conditionné. A Albuquerque, où régnait une chaleur de désert sèche et brûlante, il était de rigueur dans toutes les maisons. Mais là, il avait été poussé au maximum. Sheryl frissonna et cligna les yeux. Elle avait l'impression de pénétrer dans un tombeau...

Elle avait toujours pensé qu'une maison reflétait la personnalité de ceux qui l'habitaient. Aussi, connaissant l'élégance raffinée de Mme Gunderson, était-elle loin de se douter de ce qu'elle allait découvrir ici. Dès que ses yeux furent habitués à la pénombre du salon, elle constata que les murs étaient nus. Aucun tableau, aucune gravure ne les ornaient. Le mobilier du living était d'une banalité à pleurer. Un velours râpé, d'un gris sale, recouvrait fauteuils et divan, et il n'y avait pas le moindre tapis sur le plancher de chêne.

Sheryl se tourna vers Paul, mais ne vit que le reflet cuivré de ses cheveux courts. Penché en avant, il était en train de déposer Puppy sur le sol.

Bien malgré elle et à sa grande consternation, la jeune femme se surprit à admirer les larges épaules de Paul. Il avait vraiment une carrure d'athlète et...

Elle retint un cri de surprise.

Tandis qu'il reboutonnait sa veste, elle avait eu le temps d'apercevoir sur son épaule gauche un harnais de cuir et, sous son aisselle, l'éclat brillant d'une arme.

Leurs yeux se croisèrent et elle devina qu'il avait surpris son regard.

Profitant de sa liberté retrouvée, le chien avait filé d'un trait vers le vestibule. Sheryl entendit ses petites pattes dans l'escalier, puis le silence revint.

La jeune femme affronta le regard glacial de l'homme.

— Pourquoi portez-vous un revolver ?

— Ça ne vous regarde pas.

Elle insista :

— La profession d'import-export serait-elle si dangereuse que vous éprouviez le besoin d'être armé ?

— Elle peut le devenir.

Sheryl regarda vers la porte. Les armes la rendaient nerveuse...

— Je crois que je vais m'en aller, dit-elle d'une voix qu'elle essayait de rendre ferme. J'ai peur d'être en retard à mon rendez-vous. Dites à votre tante que je viendrai la voir demain.

— Restez encore un moment, mademoiselle Hancock, répondit l'homme sur un ton qui n'admettait pas de réplique. Je suis impatient d'entendre ce qu'Inga a pu vous raconter à propos de son neveu.

— Je vous le dirai une autre fois, répondit précipitamment Sheryl qui sentait la panique la gagner.

Elle voulut se précipiter vers le vestibule, mais il en bloquait la porte de sa large stature.

— Asseyez-vous et racontez-moi tout ce que vous savez, dit-il d'un ton menaçant. Sinon je saurai bien vous y contraindre...

2.

Ainsi, cette femme connaissait le neveu d'Inga Gunderson !

Harry McMillan dévisagea Sheryl et lut la peur dans ses yeux. A vrai dire, lui-même, bien qu'agent spécial du FBI et entraîné à conserver son sang-froid en toute circonstance, avait bien du mal à maîtriser les battements de son cœur en face de cette magnifique fille blonde.

Il s'efforça d'oublier la douleur qui le lançait au niveau de l'aine, à l'endroit précis où la vieille dame tout à l'heure, au premier étage, lui avait décoché un terrible coup de genou. Il n'en revenait pas. Quelle vigueur, sous une apparence aussi frêle ! Sans parler du chien ! Il n'aurait jamais cru qu'un si petit animal pût avoir de tels crocs. Et voilà qu'à peine s'était-il débarrassé de ces deux-là, qu'une troublante inconnue entrait en scène à son tour.

Combien de suspects allaient encore défiler dans cette maison ?

Depuis son arrivée à Albuquerque, huit jours plus tôt, il s'était rendu compte que, s'il voulait remplir correctement sa mission, mieux valait oublier pour quelque temps les règles auxquelles il obéissait d'ordinaire.

Considérant d'un air dubitatif la nouvelle venue, Harry se demanda quelle attitude adopter à son égard. Avec ses longs cheveux blonds, son petit nez mutin, ses yeux d'émeraude et sa silhouette de rêve, elle avait plus l'air d'un top model que d'une criminelle. Il détourna son regard. « Ne te laisse pas envoûter par cette sirène, songea-t-il. Tu sais bien que sous les airs les plus angéliques se dissimulent souvent les pires criminels. »

A trente-six ans, il traquait la pègre depuis trop longtemps pour se fier encore aux apparences. Il revit le visage de son meilleur ami abattu récemment dans des circonstances atroces par un tueur à l'allure inoffensive. Il serra les mâchoires, hésita quelques secondes. Visiblement, la femme était terrorisée. Quelle tactique choisir ? Devait-il exhiber sa carte officielle, ou profiter de sa faiblesse pour lui soutirer le maximum d'informations ?

Il opta pour la seconde attitude.

— Comment avez-vous rencontré Inga Gunderson ? demanda-t-il d'un ton brutal.

Les yeux verts se tournèrent désespérément vers le couloir.

— Je... euh... Je la vois à peu près tous les jours.

— Où exactement ?

— A l'agence postale.

— Quelle agence ?

Méfiante, Sheryl tarda à répondre.

— Qu'est-ce que ça peut bien vous faire, d'abord ? Et qu'est-ce qui me prouve que Mme Gunderson est vraiment en bonne santé ?

Harry fronça les sourcils. Au lieu de répondre à ses questions, elle lui en posait d'autres. Cette fille avait du cran. Mais il remarqua que ses mains tremblaient en triturant nerveusement le bas de son short. Pas le geste de quelqu'un qui a la conscience tranquille, songea-t-il. Mieux valait rester sur ses gardes...

Ce fut elle qui de nouveau posa une question :

— Est-ce que, oui ou non, vous êtes le neveu de Mme Gunderson ?

Il fit la grimace : il ne pouvait plus continuer à dissimuler son identité. Fouillant dans la poche intérieure de sa veste, il en retira sa carte.

Sheryl fit un bond en arrière, persuadée qu'il était en train de dégainer.

— Du calme, dit-il d'un ton apaisant. Je veux seulement vous montrer ma plaque.

Il sortit pêle-mêle de sa poche une liasse de billets de banque et des cartes de crédit avant d'exhiber le précieux document marqué de l'aigle fédéral.

— Harry McMillan, agent spécial du Bureau Fédéral d'Investigation et chargé de mission dans l'Etat du Nouveau-Mexique, dit-il en redressant légèrement le buste.

Elle regarda attentivement le badge doré, puis compara la photo avec le visage de l'homme debout devant elle.

— Pourquoi ne l'avez-vous pas dit plus tôt ? explosa-t-elle, à la fois soulagée et en colère.

— Parce que vous étiez tellement sûre de m'avoir reconnu que vous ne m'avez rien demandé.

Il rangea cartes et billets dans sa poche et ajouta posément :

— Puis-je vérifier votre identité, s'il vous plaît ?

— La mienne ? Mais pourquoi ? Je me suis présentée. Je vous ai dit mon nom.

McMillan haussa les épaules. Pour lui, elle n'était qu'une suspecte parmi d'autres. Et tant qu'elle n'aurait pas prouvé qu'elle n'avait rien à voir avec le fugitif qu'il poursuivait depuis bientôt un an, il ne pourrait pas la considérer autrement.

— Je sais ce que vous m'avez raconté, mademoiselle Hancock. Mais qu'est-ce qui me prouve que vous n'avez pas menti ?

— J'ai laissé mon sac et mes papiers dans le vide-poche de ma voiture.

— Nous vérifierons cela plus tard. En attendant, dites-moi plutôt comment vous avez connu Inga Gunderson.

Sheryl se considérait comme une fonctionnaire modèle. Non seulement elle aimait son travail et le faisait bien, mais elle s'était mise entièrement au service de ses concitoyens.

Elle n'hésitait jamais à apporter sa contribution à des œuvres caritatives. L'an dernier, elle avait consacré une partie de ses vacances à des ventes de charité au profit des victimes de tremblements de terre ou de cyclones. Il lui arrivait de répondre à des lettres adressées au Père Noël. Elle signait toutes les pétitions en faveur de la paix dans le monde.

Mais jamais encore, elle n'avait eu l'occasion d'aider la police fédérale dans ses investigations.

Malgré son dégoût pour toutes les formes de délation, elle comprit que l'agent McMillan ne se contenterait pas de réponses évasives.

— Mme Gunderson vient tous les matins chercher son courrier dans le bureau de poste où je travaille.

— Quel bureau ?

— L'agence de Monzana Street.

Il se passa la main dans les cheveux.

— Monzana Street, dit-il. Ce n'est qu'une petite agence de quartier !

Le mépris qui perçait dans sa voix hérissa Sheryl. Elle n'était pas particulièrement susceptible, mais elle avait du mal à supporter les sarcasmes concernant l'agence où elle travaillait, même si ce n'était qu'une modeste succursale de la grande et luxueuse Poste centrale, située au cœur de la ville. Les bureaux de Monzana Street occupaient un vieil immeuble dans une rue où les bars étaient plus nombreux que les magasins de luxe. Et une zone d'entrepôts s'étendait derrière le bâtiment, à la limite du désert. Mais les employés de l'agence accomplissaient leur tâche avec zèle et gentillesse, aussi bien et même parfois mieux que ceux qui travaillaient au siège de la compagnie. Personne, pas même un agent fédéral, ne pouvait imaginer la somme de lettres à trier, matin et soir, et le nombre de clients qui défilaient chaque jour devant les guichets.

D'un ton agressif, elle lui demanda s'il avait un problème avec les agences postales.

La question parut surprendre McMillan. Il tressaillit et se reprit aussitôt.

— Ne détournez pas la conversation, mademoiselle Hancock. Je vais appeler le Centre informatique et lui demander de vérifier votre identité.

— Mais pourquoi donc ? gémit-elle.

Il lui jeta un regard exaspéré et expliqua, en détachant chaque syllabe comme s'il s'adressait à un enfant :

— Vous venez de mettre les pieds au beau milieu d'une enquête extrêmement difficile. Aussi, ne vous laisserai-je pas repartir sans être certain que vous me dites la vérité. Est-ce que vous me suivez ? Et qui plus est, vous allez m'expliquer la nature exacte de vos relations avec la femme qui prétend s'appeler Inga Gunderson.

— Qui « prétend » ? Pourquoi, ce n'est pas son nom ?

— C'en est un. Parmi d'autres, dit évasivement McMillan. Asseyez-vous, je vous prie.

Cette fois, Sheryl obéit sans résistance. Elle avait l'impression de tomber dans le vide, exactement comme Alice glissant dans le terrier du lapin au Pays des Merveilles. L'agent fédéral McMillan sortit un portable d'une poche de sa veste. Il appuya sur deux touches, demanda une vérification d'identité, et après avoir patienté quelques instants, remercia brièvement et rangea l'appareil.

— L'ordinateur central vient de confirmer votre nom et votre adresse. Je sais aussi que vous avez trente-quatre ans et que vous n'avez jamais commis la moindre infraction. Pas même le plus petit excès de vitesse.

En l'entendant parler d'elle ainsi, Sheryl se demanda ce qui la troublait le plus : qu'un agent fédéral pût, en quelques minutes, tout connaître de son passé, ou qu'il eût un regard aussi envoûtant.

— Félicitations, dit-elle d'un ton légèrement ironique. La police est vraiment bien renseignée. Maintenant, expliquez-moi pourquoi elle s'intéresse à une pauvre femme sans défense, âgée, très douce et de constitution fragile.

Au souvenir de ce que dissimulait la fragilité de la dame en question, Harry eut un bref ricanement.

— Nous soupçonnons cette charmante personne d'être impliquée dans un trafic illégal.

Sheryl resta un moment bouche bée. Stupéfaite, elle demanda :

— Quel genre de trafic ? De la drogue ?

— De l'uranium.

Pour Sheryl, ce métal évoquait les armes atomiques, les irradiations mortelles, les pires catastrophes. Elle décocha à son interlocuteur un sourire incrédule.

— De l'uranium ? répéta-t-elle.

— Non enrichi, précisa-t-il.

Comme s'il était évident que tout le monde devait connaître les subtilités du langage scientifique !

— Où est la différence ? demanda Sheryl.

— Il s'agit d'un métal utilisé par les usines d'armement pour équiper les têtes de fusées. Cet uranium-là, exempt de plutonium, n'est pas irradiant. Mais sa dureté est telle que, mélangé à l'acier, il peut percer tous les blindages. Certaines manufactures clandestines se le procurent, soit pour armer les terroristes, soit pour le revendre à des pays en voie de développement. C'est un trafic extrêmement néfaste. Voilà pourquoi la police fédérale le combat.

Sheryl eut une moue dubitative. Comment imaginer que la charmante petite femme aux cheveux blancs qui cuisinait de si bons gâteaux pût être la complice de dangereux terroristes ?

— Que font donc la CIA et le service des Douanes ? s'étonna-t-elle. C'est à eux de traquer ce genre de contrebandiers.

— Ils s'en occupent aussi, mais...

Les traits du policier se durcirent. Il avala sa salive et ajouta :

— ... l'un des nôtres a été tué malgré son gilet de protection, par une balle renforcée à l'uranium non enrichi, alors qu'il escortait vers la prison le prétendu neveu de Mme Gunderson. Le FBI travaillait depuis de longs mois sur cette enquête et cette arrestation représentait beaucoup pour nous. Vous comprenez maintenant pourquoi notre service s'est juré de retrouver les coupables.

— Le neveu... Vous voulez parler de Paul Gunderson?

L'image du séduisant garçon qu'elle avait imaginé se prélassant sur la plage, à l'ombre des cocotiers, traversa fugitivement l'esprit de Sheryl avant de s'effacer à tout jamais. Elle soupira, consternée. Décidément, elle avait raison de se méfier des aventuriers! Son père déjà l'avait déçue. Et voilà qu'à présent le beau jeune homme dont rêvait sa meilleure amie la trahissait également! Un moment, l'idée lui vint que son père, lui aussi, s'était peut-être livré à une quelconque contrebande. Mais elle la chassa bien vite. En dépit de sa vieille rancune, elle savait que s'il avait été un coureur de jupons, en revanche il n'avait jamais commis le moindre délit. Tout comme Brian, son futur fiancé. Il était certes un peu casanier. Il n'était jamais aussi heureux qu'en pantoufles devant son poste de télévision et ne s'animait que lorsqu'il avait réussi une transaction immobilière. Il était capable alors d'en parler pendant des heures. Mais il était très attaché à sa région et elle était sûre qu'il n'était pas homme à courir le monde. Quand ils seraient mariés, il attendrait chaque soir son retour, comme il devait le faire probablement en ce moment... Sheryl se mordit la lèvre. L'heure de son rendez-vous avec Brian était passée depuis plus de dix minutes. Il devait commencer à s'inquiéter...

— Que savez-vous à propos de Paul Gunderson? demanda McMillan d'un ton agacé. C'est la seconde fois que je vous pose la question. Pourquoi ne répondez-vous pas?

Sheryl tressaillit et reporta son attention sur son interlocuteur.

— Excusez-moi, je pensais à autre chose. En réalité, je ne connais pas ce fameux Paul. Tout ce que je sais de lui, c'est ce qu'en raconte Mme Gunderson lorsqu'elle vient chercher son courrier. Il est représentant d'une firme d'import-export et voyage beaucoup, je crois. En tout cas, d'après les cartes postales qu'elle reçoit, c'est évident qu'il passe sa vie dans les avions et séjourne dans des endroits de rêve.

McMillan eut un léger froncement de sourcils. Il redressa le buste et sous sa chemise bleue, ses muscles parurent se tendre.

— Des cartes postales ? demanda-t-il doucement.

— Oui. A chacune de ses escales, il envoie une superbe carte qui échoue dans une des boîtes postales de notre agence avant d'être récupérée par sa tante. Mes collègues et moi, nous le trouvons vraiment très attentionné.

— Attentionné, comme vous dites, ricana McMillan. Figurez-vous que le jour où nos services ont localisé Inga Gunderson, ils ont fait opposition à son courrier. La poste centrale d'Albuquerque nous a alors affirmé qu'elle avait fait le nécessaire. Vos collègues auraient dû savoir qu'elle avait domicilié des lettres dans une de ses annexes !

Sheryl réagit instantanément :

— Chacun de nous fait pour le mieux, mais personne n'est infaillible. Est-ce que vos services ne commettent jamais d'erreur ?

Il ne daigna pas répondre. Tête baissée, il réfléchissait, une ride creusée entre ses sourcils. Il releva le front et remarqua :

— C'est curieux. Au cours de notre perquisition dans cette maison, nous n'avons trouvé ni carte ni lettre. J'en déduis que la prétendue Inga les détruisait aussitôt après les avoir lues...

Ses yeux brillèrent et il demanda :

— Avant de déposer la carte dans la boîte postale, vous est-il arrivé par hasard de lire le texte inscrit au verso ?

Sheryl rougit et se tortilla sur son siège. Le règlement interdisait aux employés de lire le courrier qui passait entre leurs mains. Mais la consigne était souvent transgressée, et lorsqu'une carte sortait de l'ordinaire, même le plus consciencieux des employés ne pouvait s'empêcher de la retourner instinctivement pour regarder ce qu'avait écrit l'expéditeur.

Gênée, elle avoua que, plus d'une fois, elle avait commis cette indiscrétion.

— Ce matin encore, ma curiosité l'a emporté.

Elle s'interrompit, mais McMillan la pressa de poursuivre.

— Une nouvelle carte est arrivée ce matin ? s'exclama-t-il.

— Oui, une carte de Rio.

— Nom de...

Il jura, puis alla jusqu'au couloir et ordonna d'une voix forte :

— Evan, descendez avec la femme !

Sheryl entendit une voix d'homme, puis une série de jappements aigus et, dominant le tout, la voix de Mme Gunderson. Elle reconnut l'accent scandinave de la vieille dame, mais cette fois, au lieu des paroles courtoises auxquelles elle était habituée, c'est une bordée d'injures qui retentit dans l'escalier.

Comment une personne aussi raffinée pouvait-elle employer un langage aussi ordurier ? Choquée par ce qu'elle venait d'entendre, les yeux élargis de stupeur, la jeune femme vit bientôt apparaître sur le seuil du living Mme Gunderson, tenue fermement par un policier en uniforme. Elle portait un élégant tailleur Chanel, et son vocabulaire contrastait singulièrement avec son apparence.

— Sale flic, ôtez vos pattes de mon bras !

En même temps, elle lui décochait des coups d'escarpin dans les mollets. Soudain, elle se baissa et lâcha Puppy qui accrocha aussitôt ses mâchoires au pantalon de l'agent. L'homme secoua sa jambe, mais l'animal s'y agrippa en grondant.

Le policier adressa un regard suppliant à McMillan.

— Je vous en prie, monsieur, étranglez ce sale roquet !

— Sûrement pas ! protestèrent d'une seule voix les deux femmes.

Elles avaient eu le même réflexe. De toute évidence, Mme Gunderson aimait son chien. Sheryl, elle, détestait voir maltraiter un animal, quel qu'il soit. Elle commanda d'un ton sec :

— Puppy, ça suffit ! Reste tranquille !

Le Shih Tzu ignora superbement l'ordre. Prenant alors la relève, Mme Gunderson retrouva sa douce voix :

— Viens, mon trésor, viens près de mamie !

Les deux policiers se regardèrent, stupéfaits, en voyant le chien relâcher sa prise et se coucher aux pieds de sa maîtresse.

Semblant remarquer la présence de la jeune femme, Mme Gunderson se tourna alors vers elle.

— Que faites-vous ici, vous ? Ne me dites pas que vous travaillez également avec ces brutes !

— Je suis seulement venue prendre de vos nouvelles.

— Et elle m'a parlé de certaines cartes postales, dit McMillan d'un ton suave.

Le visage de la vieille dame blêmit de colère et ses yeux clairs dévisagèrent Sheryl avec mépris.

— Espèce de sale moucharde ! Vous ne respectez même pas le secret professionnel. Est-ce ainsi que vous me remerciez de toutes les friandises que je vous ai apportées ? C'est comme ça que vous arrondissez vos fins de mois, j'imagine, en cumulant l'étiquette de postière et celle d'agent de renseignements ?

Blessée dans son orgueil, Sheryl ne trouva rien à répliquer. Mais McMillan réagit aussitôt. Il se baissa, prit le chien qu'il fourra sous son bras et, rouge d'indignation, désigna Mme Gunderson au sergent.

— Jetez-moi cette femme au bloc. S'il le faut, appelez du renfort, mais éloignez-la immédiatement de ma vue. Je vous rejoindrai au poste dès que j'en aurai terminé avec

Mlle Hancock. Ah, oui ! Faites également le nécessaire pour le chien. Si vous voyez ce que je veux dire...

— J'ai compris, monsieur. Dès mon arrivée au poste, je vous envoie quelqu'un.

Sans se préoccuper des insultes que lui lançait Mme Gunderson, l'agent la tira par le bras jusqu'à l'entrée. Au moment de franchir le porche, elle cria à l'intention de McMillan :

— Cette fille ne sait rien. Elle ne pourra vous raconter que des mensonges.

Puppy se débattait pour rejoindre sa maîtresse, mais Harry McMillan le tenait fermement. Il attendit que la porte d'entrée fût refermée et le lâcha. Le chien se précipita dans le vestibule et Sheryl l'entendit griffer le battant en gémissant.

Elle regarda McMillan.

— Mme Gunderson a raison. Je ne peux rien vous dire, ni sur elle, ni sur son neveu.

— Parlez-moi seulement des cartes postales. Vous m'avez bien dit qu'Inga en recevait de son prétendu neveu ?

— Oui, quelquefois même deux fois par semaine. Elles viennent des quatre coins du globe.

— Vous vous souvenez de la date d'envoi et du lieu où les dernières ont été postées ?

— La date, non. Mais les endroits, oui. Elles viennent toujours de pays magiques qui nous font rêver, mes collègues et moi.

— Si ça ne vous ennuie pas, j'aimerais jeter un coup d'œil sur la carte arrivée ce matin. Est-ce qu'on peut prendre votre voiture et aller à l'agence où vous travaillez ?

— Maintenant ?

— Oui, bien sûr.

— Mais j'ai un rendez-vous important, je croyais vous l'avoir dit.

— Eh bien, annulez-le ! ordonna McMillan en lui tendant son portable.

Elle secoua la tête et refusa de prendre l'appareil.

— Il s'agit de mon fiancé... Euh, de mon futur fiancé, rectifia-t-elle aussitôt. Il m'attend et je ne lui ai jamais fait faux bond.

Harry McMillan la regarda comme s'il la voyait pour la première fois. Elle sentit sur elle la chaleur de son regard doré, puis il posa une main apaisante sur son bras nu, et elle rougit jusqu'aux oreilles.

— Pour une fois, votre petit ami attendra, dit-il doucement. Ce ne sera pas très long et si, par malheur, ça devait durer plus longtemps que prévu, vous pourriez toujours lui expliquer par téléphone que vous avez été retenue pour des raisons professionnelles.

Incapable de dissimuler son trouble, Sheryl balbutia :

— Et Puppy ? Vous ne pouvez pas le laisser tout seul ici.

— Il l'est depuis hier, depuis que nous avons localisé Inga Gunderson. Evan a promis de s'en occuper. Il va prévenir la fourrière qui enverra chercher ce satané roquet.

— Pas question ! protesta-t-elle en retrouvant son énergie habituelle. Ce chien ne doit pas aller dans un refuge. Vous savez ce qu'on fait des animaux au bout de huit jours, s'ils n'ont été ni réclamés ni adoptés ?

— Oui et alors ?

— Alors, c'est monstrueux. Ce Shih Tzu a été trop gâté et s'il est agressif, c'est simplement pour défendre sa maîtresse. Je vous en prie, lieutenant, ne soyez pas aussi cruel.

Il l'interrompit d'un ton exaspéré :

— Je ne suis pas lieutenant. Je suis officier et j'occupe au FBI une position équivalente à celle d'un capitaine de l'armée américaine, mais ces titres n'ont pas cours chez nous. Si vous tenez à m'appeler autrement que par mon nom, dites seulement inspecteur. En ce qui concerne le roquet, je ferai en sorte que le refuge le garde un peu plus longtemps que nécessaire.

Elle le dévisagea rapidement et remarqua le pli entre ses sourcils. Ainsi, ce policier, qu'elle avait jugé dur et sans état d'âme, était aux prises avec un cas de conscience. Elle décida d'appuyer là où le bât blessait.

— Je suis sûre que vous aimez les chiens. Je vous en supplie, ne livrez pas aux bourreaux cette innocente boule de poils.

Il protesta :

— J'aime les vrais chiens, pas le genre de rats qu'une détraquée décore avec une barrette en strass. Et à présent, mademoiselle Hancock, assez de discussions ! Il est temps d'aller examiner la carte expédiée de Rio.

C'était mal connaître Sheryl... Sous son apparence aimable et docile, elle dissimulait une volonté de fer.

— Désolée, inspecteur, mais je ne suis pas obligée de vous servir de chauffeur, ni de vous prêter ma voiture. Si je le fais, c'est uniquement pour vous aider dans votre mission. Alors, service pour service, je vous conduis à l'agence et en échange, vous me confiez Puppy.

— Oh, les femmes ! maugréa-t-il.

Mais elle sentit dans son ton une nuance d'estime...

McMillan prit la place du passager tandis que la jeune femme s'installait au volant. Sur la banquette arrière, le chien se démenait comme un diable. Sheryl ne put retenir une grimace au contact de son siège, chauffé par le soleil. Elle mit le contact et lança l'air conditionné au maximum.

Dans un silence pesant, troublé seulement par les gémissements du chien enfin calmé, ils roulèrent jusqu'à Monzana Street.

Sheryl était en train de garer sa Toyota dans le parking réservé aux employés de la poste, lorsqu'elle se souvint que Brian l'attendait. Elle devait absolument emprunter le téléphone portable de son passager. Mais déjà McMillan avait ouvert la portière et marchait à grands pas vers l'entrée du personnel. Elle enfourna le petit Shih Tzu dans le cabas à provisions qu'elle emportait toujours dans sa voiture, mit l'anse sur son épaule et courut derrière l'agent.

— Monsieur, attendez ! Je ne peux pas vous laisser entrer sans l'autorisation de mon chef.

— Alors, allez le chercher.

— Venez avec moi. L'agence est fermée au public, mais le directeur n'a peut-être pas encore quitté son bureau.

Ensemble, ils longèrent les couloirs déserts. Quelques instants plus tard, Sheryl introduisait l'agent du FBI dans le bureau du receveur et faisait les présentations.

Le responsable de l'annexe, Pat Martinez, était un petit homme aux tempes grisonnantes. Il écouta attentivement McMillan exposer le motif de sa visite, regarda le document qu'il lui tendait et dit avec la déférence que lui inspirait le rang de l'inspecteur :

— Désolé, monsieur, mais je ne peux pas vous laisser ouvrir une de nos boîtes postales. Votre ordre de réquisition ne concerne que le domicile de Mme Gunderson.

— Je le sais, mais la Poste centrale a reçu une opposition, en bonne et due forme, sur le courrier d'Inga Gunderson, alias Betty Hoffman, alias Eva Jorgens. Vous pouvez vous en assurer immédiatement.

Le fax arriva quelques instants plus tard. Le receveur le lut et tendit la feuille à McMillan.

— Encore une fois, je suis navré, monsieur, mais l'opposition ne concerne que le courrier arrivé à la Poste centrale.

— Votre annexe en dépend, non ?

— Pas complètement. Nous fonctionnons de manière autonome. Chaque annexe a ses propres règlements, et le receveur en est responsable personnellement. L'opposition sur le courrier envoyé à la Poste centrale n'est pas valable sur celui que je reçois. Mais il suffirait que votre ordre de réquisition concernant le domicile de la prévenue comporte une mention supplémentaire l'étendant à mon annexe pour que vous ayez accès à la boîte postale de ma cliente. C'est une des lois de l'Etat du Nouveau-Mexique, monsieur, et je ne peux pas l'enfreindre.

— Non, bien sûr, admit McMillan.

Il sortit un carnet de sa poche, le consulta puis composa un numéro sur son portable.

— J'appelle le juge d'instruction chargé du dossier par l'Attorney général, expliqua-t-il.

Sheryl n'entendit que la moitié de la conversation, mais elle comprit que le juge donnait raison au directeur de l'agence et que, non seulement il était prêt à modifier immédiatement l'ordre de réquisition, mais qu'il envoyait une voiture chercher l'agent fédéral.

Elle vit le soulagement détendre les traits crispés de McMillan. Il fourra vivement le portable dans sa poche et prit gentiment le bras de Sheryl.

— Vous allez m'attendre ici..., commença-t-il.

— Impossible. Je file à mon rendez-vous. J'ai déjà pris trop de retard.

Elle sentit s'accentuer la pression de la main sur son bras.

— J'insiste. J'ai encore besoin de vous.

— Non. Ma participation dans cette affaire est terminée. Je dois partir.

Il pencha légèrement la tête de côté et l'étudia avec un sourire. Ses yeux moqueurs pétillaient de malice. Il avait une expression presque tendre qui la troublait et qu'elle ne savait comment interpréter.

— Pour une fois, votre ami se passera de vous, dit-il d'un ton où l'autorité perçait sous le velours de la voix. En attendant mon retour, vous allez me rendre un grand service. En votre qualité d'employée, vous avez accès aux boîtes postales. Alors, avec l'accord de votre supérieur, vous allez soigneusement étudier la carte de Rio. Lisez bien le texte, photographiez-le dans votre mémoire jusqu'à la moindre virgule. A mon retour, vous me direz si le message est différent de ceux qu'il vous est arrivé de lire auparavant...

Il lui adressa un sourire irrésistible avant d'ajouter d'un ton péremptoire :

— Vous êtes un témoin important dans une enquête

d'intérêt national. N'oubliez pas qu'un policier a été la victime d'un dangereux criminel. J'ai besoin de vous, Sheryl, et si vous refusez de collaborer, je serai contraint de demander pour vous une assignation à comparaître devant le juge Warren, délégué par l'Attorney général.

Il avait eu beau lui adresser un sourire charmeur et l'appeler par son prénom, elle ne l'en toisa pas moins avec rancune.

— Ordonner, séduire... En somme, tout vous est bon pour arriver à vos fins.

Son sourire s'élargit, découvrant des dents étincelantes.

— Je suis flatté. C'est la première fois qu'une femme me trouve séduisant...

Puis, englobant Sheryl et Pat Martinez du même regard impérieux, il ajouta avant de quitter le bureau :

— Naturellement, je compte sur votre discrétion à tous les deux. N'oubliez pas que ma visite ainsi que le but de mon enquête relèvent du secret d'Etat.

3.

Sirène hurlante et gyrophares allumés, la voiture envoyée par le juge ne mit pas plus d'un quart d'heure pour atteindre le palais de justice.

A peine était-elle arrêtée devant l'imposant bâtiment à colonnades, qu'Harry ouvrit la portière et remercia le conducteur.

— Ce n'est rien, monsieur, dit celui-ci avec un large sourire. Chez nous, on considère un peu les hommes du FBI comme des cow-boys. Alors, vous pensez si je suis heureux d'avoir pu dépanner un John Wayne sans son cheval !

Harry sourit et le salua de deux doigts avant de s'engouffrer dans le hall. Il monta quatre à quatre les marches qui menaient au bureau du juge. En dépit de ce contretemps, il rayonnait d'optimisme, sûr d'approcher enfin du but, persuadé que le fugitif qu'il traquait depuis onze mois allait enfin tomber dans ses filets et subir le sort qu'il méritait.

Paul Gunderson, alias Harvey Milland, alias Jacques Garone, alias Rafael Pasquale : autant de pseudonymes derrière lesquels se cachait l'ignoble personnage. Chef présumé d'un des trafics les plus dangereux de la planète, l'homme, après de brillantes études d'ingénieur, avait commencé une carrière au département de la Défense sous son véritable nom : Richard Johnson. Ses supérieurs le décrivaient comme un fonctionnaire d'une intelligence au-dessus de la normale. Chargé de surveiller l'approvisionnement d'usines d'armements, Richard Johnson connaissait particulièrement bien l'utilisation de l'uranium non enrichi. Soupçonné de détourner une partie des livraisons du métal, il avait d'abord fait l'objet d'une surveillance discrète qui s'était soldée par un échec. Puis, lorsque de nouvelles armes de poing, doublement meurtrières, avaient fait leur apparition dans les milieux du grand banditisme, les plus hautes autorités fédérales avaient confié l'enquête à McMillan, ancien attaché juridique devenu responsable d'une division de police criminelle et réputé pour son flair et son expérience. C'était la mission la plus difficile de sa carrière.

Harry avait réussi à prendre le voleur la main dans le sac. Mais au cours de son transfert d'une prison à une autre, de mystérieux complices avaient attaqué le fourgon. L'un d'entre eux avait lancé une arme à l'ancien chef de bande. Tous avaient péri dans la fusillade à l'exception de Richard Johnson, alias Paul Gunderson, qui avait réussi à s'évader. Avant de prendre le large, il avait tiré sur le meilleur ami d'Harry une de ces balles à pointe d'uranium qui avait traversé le gilet de protection du policier.

Harry s'était juré de retrouver le bandit, coûte que coûte.

Or, depuis onze mois qu'il le traquait à travers les Etats-Unis, le fugitif ne cessait de lui échapper. Dernièrement, en regroupant certaines informations, McMillan avait pu établir un lien entre Johnson et une femme d'un certain âge, d'origine scandinave, toujours accompagnée d'un petit chien pomponné à longs poils, genre pékinois. La femme avait élu provisoirement domicile au Nouveau-Mexique.

Harry ne comptait plus les coups de fil qu'il avait donnés aux vétérinaires et aux salons de toilettage pour chiens. La femme lui avait toujours glissé entre les doigts, jusqu'à ce qu'il la localise enfin à Albuquerque...

Puis Sheryl Hancock était entrée en scène.

En toute autre circonstance, avec ses cheveux d'or, ses yeux verts et ses jambes qui n'en finissaient plus, la jeune femme aurait bouleversé les sens et le cœur d'Harry

McMillan. D'ailleurs, en la voyant, il avait éprouvé un choc, mais son sens du devoir avait repris le dessus : il avait vite considéré Sheryl comme une suspecte ordinaire.

A présent, il éprouvait à son égard un curieux sentiment qu'il analysait mal. Pourquoi son cœur battait-il si vite quand elle était en face de lui ? Il préférait mettre cela sur le compte de l'impatience qu'il ressentait en progressant dans son enquête. Il tenait enfin une piste et cette fille superbe allait devenir une précieuse collaboratrice, du moins l'espérait-il...

Le juge Warren lui confirma ce qu'il pensait. Amenée *manu militari*, la veille, au poste de police, la dénommée Inga Gunderson avait refusé de parler et réclamait son avocat. Ce dernier avait été contacté et se trouvait, en ce moment, quelque part sur une route du Texas entre Amarillo et Albuquerque. Des heures s'écouleraient avant que la femme ne livre le moindre renseignement.

— Nous n'avons aucune charge contre elle, déclara le juge, et rien ne prouve sa parenté avec Richard Johnson. Nous ignorons également si elle est complice des vols d'uranium. A vous de démêler ce sac d'embrouilles.

— J'y travaille, faites-moi confiance, répondit Harry. Mais il faudrait que la police du comté retienne le plus longtemps possible cette Inga Gunderson. Dès que son avocat sera arrivé, prévenez-moi. Et soyez assez aimable pour demander au shérif de m'envoyer une voiture de fonction banalisée, à l'annexe postale de Monzana Street.

— Ce sera fait, monsieur McMillan.

Le juge tendit à Harry l'ordre de réquisition rectifié. Harry enfouit le précieux document dans sa poche et prit congé de son interlocuteur, plus que jamais déterminé à se lancer sur la piste ouverte par Sheryl Hancock.

— La boîte postale 89212 ?

Buck Aguilar, employé au tri du soir, regarda avec étonnement son directeur, Pat Martinez, puis sa collègue, Sheryl Hancock. C'était un garçon brun de vingt-deux ans qui passait ses heures de loisir dans les ciné-clubs. De toute évidence, l'homme de haute stature qui les accompagnait ne l'impressionnait pas. En voyant entrer les trois visiteurs, il s'était penché vers Sheryl et lui avait glissé dans le creux de l'oreille, en désignant l'agent spécial : « Avec sa moustache, on dirait Clark Gable dans : *Autant en emporte le Vent*.

Il expliqua à haute voix :

— Navré de vous décevoir, monsieur, poursuivit-il, mais conformément au règlement, et comme je l'ai déjà expliqué à Mlle Hancock, j'ai vidé le casier qui vous intéresse en fin d'après-midi, après avoir pris mon poste.

Puis, sans plus se soucier des visiteurs, il continua son travail, faisant tomber avec vitesse et précision les enveloppes, les cartes et les magazines dans les paniers de classement.

Incrédule et furieux, Harry se pencha vers lui.

— Vous l'avez vidé ? Et qu'avez-vous fait de son contenu ?

Buck leva de nouveau la tête et soutint le regard de l'inspecteur.

— Ce que j'en ai fait ? Mais je l'ai fourré dans un sac et renvoyé à l'expéditeur. C'est la consigne.

Il récita, les yeux dans le vide :

— Par sécurité, toute boîte non relevée depuis deux jours doit être débarrassée de son contenu. Plus tard, celui-ci retournera à l'expédition.

— Plus tard, mais quand ? Et par qui ?

— Quand ? Par qui ? Est-ce que je le sais, moi ? riposta Buck Aguilar en haussant les épaules. Je ne suis pas employé au contentieux...

Sheryl, qui connaissait l'irascibilité de son collègue, redouta le pire. Buck détestait être dérangé pendant son travail. L'annexe n'était pas encore équipée d'un système de tri informatique et la tâche des employés était très pénible.

Buck conclut d'un air excédé :

— Je fais mon boulot et je n'aime pas qu'on vienne m'em...

Heureusement, la fin de la phrase fut couverte par le grincement des roues d'un chariot que l'on poussait dans la salle.

Pat Martinez confirma à l'agent du FBI que Buck n'avait fait qu'appliquer strictement les consignes.

— Le contenu de la boîte n'est peut-être pas encore arrivé au Dépôt des rebuts, suggéra Sheryl. A quelle heure avez-vous expédié le sac, Buck ?

L'expression hargneuse de l'homme disparut de son visage lorsqu'il répondit à la jeune femme :

— La camionnette du Dépôt est passée vers 17 heures, mademoiselle Hancock, peu après la fermeture des guichets.

— C'est ce que je craignais ! soupira Sheryl.

La fureur de Harry augmenta encore d'un degré.

— Qu'est-ce que ça signifie ? ragea-t-il.

Avec calme, le receveur expliqua :

— Actuellement, le courrier de Mme Gunderson doit être déjà passé par le tri informatique du Dépôt et réexpédié à l'endroit d'où il est parti. Si une adresse figure sur le pli, celui-ci revient à l'expéditeur. S'il s'agit de simples cartes postales ou d'enveloppes sans autre mention que l'adresse du destinataire, l'ordinateur les renvoie au bureau postal qui figure sur le cachet apposé sur le timbre. Les opérations se déroulent à la vitesse de l'éclair. Actuellement, la carte que vous recherchez se trouve probablement dans un sac postal à destination du Brésil.

Un petit muscle tressautait sur la joue droite de McMillan. Le receveur lui tendit l'ordre de perquisition devenu inutile.

— Je dois vous laisser maintenant, dit-il. Désolé de ce contretemps, monsieur, mais mes employés accomplissent consciencieusement leur tâche et je ne peux pas le leur reprocher. Buck n'a fait que son devoir.

— Je comprends, répondit le policier d'un ton las en se frottant la nuque. Au revoir, monsieur Martinez.

Puppy, qui jusque-là s'était tenu coi au fond du cabas, manifesta soudain son impatience par des jappements rageurs.

Sheryl lui donna une petite tape sur la tête.

— La paix, toi ! Sois sage, tu veux ?

Maté, le chien parut se résigner à son sort. Sheryl regarda Harry McMillan. La déception du policier était si évidente qu'elle fut désolée pour lui. Pendant qu'il se démenait pour obtenir un nouvel ordre de perquisition, elle s'était rendue dans la salle des boîtes postales afin d'y examiner la carte de Rio, comme il le lui avait ordonné. Le courrier venait d'être retiré du casier, et Buck lui avait expliqué les raisons de cette disparition. Et voilà que, pour couronner le tout, la camionnette des rebuts était passée à l'heure, ce qui tenait quasiment du miracle.

La jeune femme se rendit alors compte que l'aventure dans laquelle elle avait été précipitée malgré elle quelques heures plus tôt commençait vraiment à l'intéresser. D'ailleurs, constata-t-elle, McMillan lui-même lui était devenu sympathique. Etait-ce seulement parce qu'il aimait son métier et avait comme elle un sens aigu du devoir et du travail bien fait ?

Depuis qu'elle connaissait Brian, c'était la première fois qu'elle se laissait aller à regarder un autre homme. Avec son visage buriné, son regard pénétrant et sa silhouette de sportif, Harry McMillan était magnifique. Cassant, sec et autoritaire, certes. Mais très, très séduisant...

N'ayant plus aucune raison de s'attarder à l'agence, ils reprirent ensemble la direction du parking. Conformément à la demande d'Harry, le shérif d'Albuquerque avait fait parvenir à l'annexe postale une des berlines de l'administration : une Chevrolet noire, banalisée mais équipée de vitres blindées. Elle était garée à côté de la Toyota bleue de Sheryl ainsi que la voiture qui l'accompagnait. Un agent remit les clés de contact à McMillan et le salua respectueusement avant de repartir.

— Avez-vous faim ? demanda Harry tandis que la jeune femme ouvrait sa portière.

Elle se retourna et lui jeta un regard surpris.

— Pardon ?

— Je n'ai rien mangé depuis ce matin. J'étais tellement occupé à perquisitionner chez Inga Gunderson que j'ai sauté le repas de midi. Nous pourrions dîner ensemble et parler un peu des cartes postales.

— Ce soir ?

— Naturellement. Je n'oublie pas qu'à cause de moi, vous avez manqué un important rendez-vous avec votre... futur fiancé, précisa-t-il en hésitant sur le terme. Laissez-moi vous inviter dans un bon restaurant pour me faire pardonner.

— Et profiter de la situation pour me soutirer le plus de renseignements possibles ! remarqua-t-elle.

Une étincelle amusée brilla dans ses yeux verts, et elle poursuivit, mutine :

— Est-ce là votre tactique habituelle, monsieur l'agent fédéral ?

— Oh, j'en utilise parfois d'autres, bien moins agréables ! répondit-il en lui décochant un sourire à damner une sainte. Trêve de plaisanteries, mademoiselle Hancock, acceptez-vous mon invitation, oui ou non ?

Elle réalisa qu'elle était affamée, elle aussi. Et, réfléchissant à l'importance de la mission du policier, elle songea qu'il était de son devoir de lui fournir toutes les informations dont elle disposait. Pourtant, elle hésitait encore à le suivre.

Tout à l'heure, à l'annexe, en attendant le retour de Harry, elle avait appelé Brian pour s'excuser de lui avoir fait faux bond. Il était très mécontent et pour calmer sa colère, Sheryl lui avait promis de cuisiner, le soir même, le plat de spaghettis dont il raffolait. Depuis qu'ils se connaissaient, ils avaient pris l'habitude de dîner ensemble le mardi et le vendredi. Brian était un homme de routine, méticuleux, qui établissait à l'avance le rituel de ses journées et ne s'en écartait qu'en cas de nécessité absolue. Sheryl se demanda comment elle allait lui faire admettre, sans parler d'une enquête qui devait rester secrète, que des motifs professionnels l'obligeaient à modifier le programme de leur soirée.

— Je dois passer un coup de fil urgent avant de vous répondre, dit-elle, soucieuse.

Harry lui tendit aussitôt son portable.

Sheryl composa le numéro de Brian sous le regard inquisiteur du policier. A côté d'elle, le chien jappait d'impatience. Elle soupira en entendant la sonnerie. Comment avoir une conversation détendue dans des conditions pareilles ? Enfin, Brian décrocha et lui souhaita le bonsoir d'un ton laconique. Elle essaya d'être convaincante :

— Je te le répète, je suis désolée. Je suis obligée d'annuler notre dîner... Oui, c'est mardi, je m'en souviens, bien sûr, mais essaie de comprendre...

Elle croisa le regard de Harry et se sentit encore plus gênée.

— Pourquoi ? Je t'expliquerai plus tard... Naturellement que cela a un rapport avec mon travail... Je te rappellerai, Brian. C'est promis. *Ciao*, chéri !

Elle était contrariée de renoncer à sa soirée tranquille avec Brian. Mener une vie paisible lui donnait une sensation d'équilibre et de confort, et la perspective de bousculer ses habitudes vint ternir le plaisir qu'elle éprouvait à l'idée d'un dîner avec le séduisant Harry McMillan.

Il remarqua avec un sourire en coin :

— J'ai l'impression d'être un trouble-fête.

C'était aussi l'avis de Sheryl, mais elle n'en dit rien et se contenta de poser une question banale :

— Où voulez-vous que nous allions ?

— A vous de choisir. Je connais mal les bonnes tables d'Albuquerque.

Elle réfléchit quelques secondes et opta pour un restaurant mexicain.

— El Pinto, proposa-t-elle. Si vous aimez la nourriture locale, c'est le meilleur endroit de la ville. Et il y a un patio où nous serons tranquilles pour bavarder.

— Va pour El Pinto, approuva McMillan. Nous nous y retrouverons à 20 heures.

Il connaissait mal la ville et risquait d'avoir des difficultés à trouver le restaurant qu'aucun guide touristique ne signalait, songea-t-elle.

— Où habitez-vous ? demanda-t-elle.

Aussitôt, elle rougit. N'allait-il pas être choqué de sa désinvolture ? Elle n'avait jamais rencontré d'agent du FBI auparavant, mais elle savait qu'ils avaient la réputation d'être d'un naturel secret et méfiant.

Harry répondit à côté de la question.

— J'appartiens à l'unité fédérale basée à Washington. Mais je suis rarement chez moi. Mes missions m'obligent à me déplacer un peu partout à travers les Etats-Unis, quand ce n'est pas à l'étranger.

Encore un voyageur ! pensa-t-elle. Décidément, la moitié de la population mâle de ce pays passait son temps à courir le monde. Si Harry était marié, sa femme savait-elle au moins où il se trouvait ?

— Je voulais seulement connaître votre adresse en ville, dit-elle. El Pinto est loin du centre, mais puisque vous êtes en voiture ce ne sera pas un problème. Rendez-vous au restaurant, donc. Je vais aller me changer et surtout me débarrasser du chien... à moins que vous n'acceptiez de le prendre avec vous ? suggéra-t-elle.

— Désolé, répondit-il sans la moindre trace de regret dans la voix. Je ne peux pas m'en charger. Le motel dans lequel je loge n'accepte pas les animaux.

Elle soupira, résignée. Tant pis ! Il faudrait bien le supporter pour un soir dans son appartement.

Avant de monter en voiture, elle se retourna, prise d'un dernier scrupule :

— Vous êtes sûr que vous saurez aller au El Pinto ?

— Donnez-moi l'adresse. Je me débrouillerai.

Elle se mordit la lèvre inférieure. Le restaurant était dans une impasse difficile à localiser.

— Vous ne connaissez pas les petites rues d'Albuquerque et vous risquez de tourner en rond toute la nuit.

Il lui lança un regard ironique.

— Vous oubliez que j'appartiens au Bureau Fédéral d'Investigation. Mon job, c'est de me montrer plus futé que les autres. Rassurez-vous, je ne me perdrai pas.

— Désolée de vous avoir sous-estimé, dit-elle sur le même ton vaguement moqueur.

Quelques secondes plus tard, ils quittaient le parking. Harry suivit Sheryl dans la Chevrolet et pendant un moment, elle l'aperçut dans son rétroviseur. Puis, au premier carrefour, il s'engagea dans une avenue qui rejoignait les quais du Rio Grande. La jeune femme continua tout droit en direction de la résidence qu'elle habitait à la périphérie de la ville.

Toutes les administrations et la plupart des bureaux étant fermés depuis plus d'une heure, la circulation était redevenue fluide et elle mit peu de temps à atteindre le petit immeuble calme et confortable où elle louait un agréable deux pièces.

Comme chaque fois qu'elle revenait chez elle, Sheryl éprouva un sentiment de paix en traversant sa résidence située en bordure d'un square. Installés dans une ancienne demeure bourgeoise de style mexicain, les appartements ouvraient sur de magnifiques balcons en fer forgé. A l'intérieur, toutes les pièces possédaient de hauts plafonds et de belles boiseries.

Sheryl avait recouvert le plancher de son living d'une moquette gris pâle qui n'avait pas été prévue pour les pattes d'un chien. Une fois dans le hall, elle sortit Puppy du cabas et le posa sur le carrelage.

— Maintenant, mon petit bonhomme, nous allons établir

des règles drastiques auxquelles tu devras te conformer, dit-elle d'un ton légèrement menaçant.

Elle rajusta la barrette qui empêchait les poils du chien de tomber sur ses yeux et poursuivit :

— *Primo* : pas d'aboiements, sinon le gardien me mettra dehors. *Secundo* : pas de coups de griffes sur les meubles. *Tertio* : interdiction de t'installer sur les divans et sur les fauteuils, sinon c'est moi qui te conduirai dare-dare à la fourrière.

Dans une attitude d'une royale indifférence, le Shih Tzu évita ses caresses et, la truffe au sol, entreprit une reconnaissance des lieux. Il franchit la double porte ouverte et, après avoir zigzagué entre les fauteuils et les deux divans recouverts de shintz fleuri, il leva la patte et arrosa le pied d'une table basse.

— Ah, non ! gronda Sheryl.

Elle courut dans la cuisine, prit un torchon et revint éponger les dégâts. Puis elle saisit le chien par son collier, ouvrit la porte-fenêtre et le jeta dehors.

Son appartement, situé au rez-de-chaussée, donnait sur une vaste terrasse protégée du soleil par des palmiers. Des murets la séparaient du square et des terrasses voisines.

— Maintenant tu restes là, mon petit ami. Et tu as intérêt à te tenir tranquille !

Elle rentra et ferma la baie vitrée derrière elle.

C'est alors que Puppy commença à hurler.

Sheryl retourna dans la cuisine, emplit d'eau un bol qu'elle revint poser dans un coin de la terrasse.

Le Shih Tzu cessa d'aboyer et se mit à boire à grands coups de langue.

Sheryl en profita pour se doucher et se changer. Elle enfila une robe fleurie sans manches, des sandales légères, et réunit ses longs cheveux en chignon sur sa nuque. C'est le moment que choisit Puppy pour se remettre à aboyer avec fureur.

Excédée, Sheryl attendit quelques minutes en espérant

qu'il se lasserait. Mais le chien avait l'habitude d'obtenir ce qu'il voulait. Changeant de registre, il se mit à pousser des glapissements de plus en plus stridents, tout en grattant le bas de la porte avec sa patte.

Vingt minutes plus tard, Sheryl quittait son appartement. Le chien avait eu le dernier mot. Elle avait fini par le laisser entrer et il se promenait maintenant à sa guise à travers tout l'appartement, silencieux et apparemment content de lui. Pour limiter les dégâts, Sheryl avait étalé des journaux dans un coin de la salle de bains et lui avait montré sans grande illusion que c'était là — et là seulement — qu'il devrait se soulager. Elle sentait faiblir son amour pour les animaux en général, et plus particulièrement pour ceux qui avaient de gros yeux et un nez aplati.

Alors qu'elle s'installait de nouveau au volant de sa voiture, une idée traversa son esprit. Si Harry ne se trompait pas sur Mme Gunderson, elle allait devoir garder Puppy chez elle plus longtemps qu'elle ne l'avait prévu ! Pour se rassurer, elle se dit que dans l'entourage de la vieille dame, il y avait peut-être un voisin ou un ami qui accepterait de se charger de l'animal pendant l'absence de sa maîtresse...

Une fois assise en face de McMillan, dans le patio fleuri du restaurant El Pinto, elle lui fit part de sa réflexion concernant le chien.

— Je serais ravi de faire connaissance avec les relations de Mme Gunderson, soyez-en sûre, répondit-il d'un ton maussade. Malheureusement, elle ne fréquentait aucun de ses voisins, et les appels téléphoniques que nous avons identifiés depuis qu'elle a loué sa maison ne concernent que des commerces locaux. Aucun contact extérieur, aucune visite... A part vous, mademoiselle Hancock, conclut-il avec un petit sourire ambigu.

C'était Harry qui avait choisi leur table. Un buisson de jacarandas en fleur les séparait des autres clients. On entendait, en bruit de fond, le clapotis d'une fontaine située au centre du patio. La table était si petite que Sheryl devait replier les jambes sous sa chaise pour ne pas frôler les genoux de Harry.

Pendant qu'il lui parlait, elle détailla son visage : des paillettes d'or faisaient scintiller ses yeux bruns, leur donnant, par moments, des reflets mordorés. L'extrémité de ses longs cils noirs était légèrement décolorée. Ce détail la troubla, et elle s'en voulut du sentiment de faiblesse qu'elle éprouvait malgré elle en face de cet homme. Elle aurait voulu rester indifférente, mais ne pouvait s'empêcher d'admirer sa stature et son élégance. Il portait sur sa chemise blanche un complet gris foncé de coupe sobre et dégageait une impression de force tranquille et de volonté inflexible.

Mettait-il autant d'acharnement à séduire les femmes qui lui plaisaient qu'à traquer les criminels ? Son intuition lui répondit que oui. Et l'idée la troubla plus que de raison.

— Qu'allez-vous faire de Mme Gunderson ? demanda-t-elle d'un ton détaché.

— Pour le moment, elle est soupçonnée de contrebande et est gardée à vue par la police locale. Mais elle m'intéresse moins que son soi-disant neveu.

Il sortit d'une des poches de son veston un carnet qu'il posa à côté de son assiette. Puis il regarda Sheryl.

— Parlez-moi de ces fameuses cartes postales, mademoiselle Hancock.

— Sheryl, rectifia-t-elle machinalement. Nous pouvons...

Elle s'interrompit. Une serveuse apportait une carafe d'eau tandis qu'une autre disposait, sur la desserte, une corbeille de tortillas et une coupe de petits *chiles* grillés. Ils commandèrent des enchiladas à la crème aigre et deux bières mexicaines.

Quand ils furent seuls de nouveau, Harry ouvrit son carnet.

— Revenons à nos moutons, dit-il en prenant son stylo. Inga recevait-elle régulièrement des cartes ?

— Régulièrement, non. Mais il en arrivait parfois deux dans la même semaine. Elle en a reçu de Venise, d'Antibes, de Prague et de la Barbade. Et avant celle de Rio, il y en a eu une de Pampelune.

— Pampelune, cette ville espagnole où les taureaux ne sont pas seulement dans les arènes, mais également dans les rues ?

— Oui. D'ailleurs, la carte représentait une rue étroite où de petits taureaux noirs poursuivaient des jeunes gens en chemise blanche et pantalon sombre. Quel drôle de divertissement, n'est-ce pas ?

— J'ai vu un reportage là-dessus à la télévision. J'avoue que ce genre de spectacle ne m'intéresse guère.

Elle le vit prendre une poignée de petits *chiles* grillés et le prévint :

— Faites attention ! Ce sont des piments très forts.

— J'ai l'estomac blindé, rassurez-vous ! dit-il en riant.

Et il croqua allègrement les chiles.

— Ouaaah !

Il fit la grimace et avala précipitamment son verre d'eau. Puis il fixa d'un air effaré les petits piments qui restaient dans la coupe.

— C'est pire que du feu, ma parole. Comment faites-vous dans le Sud pour avaler ces produits de l'enfer ?

Elle éclata de rire.

— Nous ne les avalons pas par poignées comme des sauvages. Nous les dégustons en petites quantités, avec des tortillas.

Une des serveuses revenait avec la bière. Harry lui adressa un regard de gratitude, puis il se saisit de sa chope et la vida à moitié.

La serveuse lui jeta un regard étonné, puis elle se tourna vers Sheryl qui visiblement s'amusait beaucoup.

— Vous n'aviez pas prévenu votre ami ? demanda-t-elle.

— J'ai essayé, mais sans succès, hélas !

La jeune fille pouffa.

— C'est toujours drôle de voir un gringo mordre la poussière, commenta-t-elle avant de repartir.

Sheryl jeta un regard en coin à Harry et se demanda s'il avait apprécié la plaisanterie. Des larmes noyaient ses yeux. Il les essuya d'un revers de main et remarqua avec une bonne humeur un peu forcée :

— La prochaine fois, je suivrai vos conseils, Sheryl, c'est juré.

Elle le remercia de son plus charmant sourire en se disant avec nostalgie qu'il n'y aurait probablement pas de prochaine fois. Dès qu'elle lui aurait dit tout ce qu'elle savait sur les cartes postales, Harry McMillan disparaîtrait définitivement de sa vie.

Elle se sentit triste et jugea sa réaction stupide. Sa rencontre inopinée avec le séduisant inspecteur du FBI n'avait rien de romanesque. D'ailleurs, avait-elle oublié combien elle devait se méfier des aventuriers ? Un jour ici, le lendemain ailleurs, sans jamais un regard ou une pensée pour ceux qu'ils laissaient derrière eux...

Remis de son expérience avec les *chiles* grillés, Harry revint au sujet qui l'intéressait.

— Un camion chargé de trois tonnes d'uranium a été volé à la sortie d'une mine du Canada, et le chargement a aussitôt pris la mer, clandestinement, pour l'Europe, dit-il d'une voix enrouée. Pampelune et Prague sont soit des destinations, soit des lieux de transit. Les voleurs essaient de brouiller les pistes. Je les soupçonne même de mélanger du guano à leur marchandise de contrebande.

Sheryl le regarda, surprise.

— Pourquoi ajouteraient-ils des excréments d'oiseaux marins à du métal ?

Presque aussitôt, elle trouva la réponse.

— Ah ! je sais, c'est pour tromper le flair des chiens à la douane.

— Exactement. Mais la CIA et Interpol s'occupent de la marchandise. Moi, ce qui m'intéresse, c'est Richard Johnson, alias Paul Gunderson, le chef du gang. Je ne dormirai pas sur mes deux oreilles tant que je n'aurai pas coincé ce bandit...

Il s'interrompit, fronça les sourcils et demanda brusquement :

— Pouvez-vous vous souvenir de ce qui était écrit au verso des cartes ?

Il s'était penché vers elle et la dévisageait de son regard pénétrant. Il devait avoir un flair exceptionnel pour détecter les mensonges. De toute manière, puisqu'elle avait accepté de l'aider, elle n'avait pas l'intention de lui dire autre chose que la stricte vérité.

— C'est mon amie, Elise, qui a vu la carte de Prague et me l'a décrite. Moi, je me souviens surtout de celle du Brésil. Paul y avait écrit textuellement : « Ma petite tante adorée, je danse depuis quatre jours dans les rues de Rio et je regrette que tu ne m'aies pas accompagné ».

Harry parut stupéfait.

— Avec tout le courrier qui passe entre vos mains, comment diable arrivez-vous à mémoriser le texte exact d'une carte ?

— Celle-là avait attiré mon attention.

Elle n'ajouta pas que les plus jolies cartes, et surtout les plus licencieuses, étaient regardées et lues par la plupart des employés. Leur contenu apportait un petit moment de détente et de rêve dans la salle particulièrement austère du centre de tri.

McMillan lui fit répéter le message. Il le copia sur son carnet d'une écriture énergique et le relut en étudiant chaque mot.

— Nous sommes au mois de juin, dit-il. Or, si j'ai bonne mémoire, le Carnaval de Rio a lieu en février. Pourquoi avoir choisi cette carte et inventé cette histoire de danse dans les rues ? Il y a sûrement là un sens caché, une sorte de code qui m'échappe.

— Les quatre jours signifient peut-être quelque chose ? suggéra Sheryl.

— Probablement, mais quoi ?

— Et s'ils avaient un rapport avec la photo des plages et du Pain de Sucre ?

— J'étudierai le recto plus tard, dit Harry. Racontez-moi seulement ce que le verso vous rappelle.

Elle soupira et lui décocha un petit sourire narquois.

— Que voulez-vous savoir de plus ? La couleur de l'encre ? La forme des virgules ? Les mentions sur le cachet du timbre ? Allez-y, posez vos questions ! Je me souviens de tous les détails avec autant de précision que si j'avais la carte sous les yeux.

Il s'appuya au dossier de son siège, le regard brillant comme s'il venait de gagner le super-jackpot.

— Je suis sûr que nous allons bien nous entendre, déclara-t-il.

Ils se turent car la serveuse arrivait avec les enchiladas. Les crêpes fourrées de viande hachée et nappées de crème étaient délicieuses. Une purée de haricots rouges au miel accompagnait les plats. Harry leur trouva d'abord un goût curieux, puis il se décida à admettre qu'il se mariait à merveille avec l'acidité de la crème. Tout en savourant son plat, il continuait de poser des questions et notait les réponses sur son carnet.

Derrière le buisson de fleurs bleues, les autres tables se vidaient les unes après les autres sans qu'ils s'en rendent compte. Ils attaquaient à peine le dessert, une salade de mangues et de goyaves, que le portable d'Harry sonna.

— McMillan à l'appareil...

Le front soucieux, il resta silencieux le temps du message.

— Bon, j'arrive.

Il referma l'appareil, fourra le carnet dans sa poche et se leva.

— Navré, Sheryl, mais je suis obligé de vous quitter. L'avocat d'Inga Gunderson vient d'arriver. Terminez tranquillement votre repas et ne vous occupez de rien. Je règle à la caisse avant de partir. Je vous appellerai demain à votre agence. A bientôt !

A la seule idée de continuer plus tard la conversation commencée, elle sentit une petite flèche de plaisir la chatouiller agréablement. Elle serra la main tendue, le remercia pour le repas et suivit sa silhouette des yeux aussi longtemps qu'elle le put.

Satisfaite d'accomplir son devoir de citoyenne en collaborant à la traque d'un dangereux bandit, elle ne s'interrogea même pas sur les véritables raisons de son état euphorique et fit sans méfiance des projets pour le jour suivant.

Harry l'appellerait-il le lendemain ? Dans l'affirmative, le plus sage serait d'avertir Elise qu'elle ne pourrait pas l'accompagner au magasin de layette, en fin de journée, comme elle le lui avait promis. McMillan allait sûrement la retenir tard dans la soirée...

Peut-être même dîneraient-ils de nouveau ensemble ?

Elle sentit un grand trouble monter en elle, tandis que les battements de son cœur s'accéléraient.

4.

— Je regrette, monsieur, répéta Sheryl pour la troisième fois, mais je ne suis pas autorisée à vous régler le montant d'un chèque qui n'a pas été établi à votre nom.

De l'autre côté du guichet, l'homme fronça les sourcils. Il portait une casquette de base-ball, la visière sur la nuque. Son front était bas, sa mâchoire carrée. Ses deux biceps étaient tatoués. Penché en avant, il insista d'un ton plaintif :

— C'est l'allocation d'une pauvre vieille qui ne peut pas se déplacer.

— Eh bien, demandez à cette dame de vous établir une procuration en bonne et due forme, riposta Sheryl, exaspérée.

L'annexe venait d'ouvrir et malgré l'heure matinale, trois files s'étaient déjà formées devant les guichets. Sheryl, qui avait hérité du plus grincheux des clients, avait du mal à conserver son sourire. Elle soupçonnait l'homme d'avoir volé le chèque mais, sans preuve, ne pouvait qu'en refuser le paiement.

— Une procuration ? Et puis quoi encore ? rugit l'individu.

— C'est la loi, monsieur, dit poliment Sheryl.

Il tapa du plat de la main sur le comptoir et éleva le ton :

— Vous me la payez, cette alloc, oui ou non ?

Son esclandre attira aussitôt l'attention générale. Elise, qui préparait des timbres de collection pour un client, arrêta son geste et regarda son amie avec inquiétude.

— Non, monsieur, répondit fermement Sheryl, je ne peux rien faire pour l'instant. Revenez avec une procuration, et je vous réglerai le montant du chèque.

L'homme devint menaçant, et levant le poing, il se mit à hurler :

— Espèce de garce, vous allez me payer sinon...

— Sinon quoi ? coupa une voix d'homme.

Tous les regards se tournèrent vers la haute silhouette qui avait remonté les files d'attente et se tenait dans la zone de confidentialité.

Reconnaissant la silhouette rassurante de Harry, Sheryl éprouva un soulagement intense.

L'homme se retourna vers lui et, les poings serrés, lança avec agressivité :

— De quoi je me mêle ?

Il paraissait si décidé à se battre que Sheryl rapprocha son genou du bouton d'alarme situé sous le comptoir. Harry désigna les portes vitrées d'un geste péremptoire.

— Sortez d'ici et vite ! ordonna-t-il.

Les deux hommes semblaient capables d'en venir aux mains. Les autres clients reculèrent d'un pas. Mais quelque chose dans le regard de Harry dut impressionner l'individu car, brusquement, il changea d'attitude et fila vers les portes vitrées qu'il poussa d'un coup d'épaule. Dehors, il enfourcha une vieille moto et démarra dans un rugissement assourdissant.

Un murmure de soulagement s'éleva de la foule.

— Quel sale type ! commenta une femme.

— Je n'aimerais pas le croiser au coin d'un bois, renchérit une autre.

Harry s'approcha du comptoir de Sheryl et s'y accouda. Il plissa les paupières et regarda la jeune femme.

— Vous en avez beaucoup, des clients de cet acabit ? demanda-t-il.

— Non, heureusement.

Elle remarqua qu'il avait dépassé tout le monde sans déchaîner la moindre protestation. Les gens se laissaient-ils impressionner comme elle par sa présence ?

Elle ajouta doucement :

— Que faites-vous ici ? J'avais cru comprendre que vous me téléphoneriez pour mettre au point l'heure et l'endroit de notre rencontre.

— C'était mon intention, mais j'ai changé d'avis. J'ai besoin de vous parler d'urgence, en privé. Quelqu'un peut-il vous remplacer ?

— Oui, bien sûr... C'est difficile, mais je vais m'arranger. Vous voyez cette porte derrière moi ? Elle donne accès à une petite salle où M. Martinez fait attendre ses visiteurs...

Elle se pencha et, tout en débloquant la fermeture d'un demi-vantail qui permettait le passage entre clients et employés, elle ajouta :

— Allez vous y installer. Je vous rejoins dans quelques minutes.

Avec un geste d'excuse en direction des autres clients, Harry repoussa le battant et traversa le bureau. Dès qu'il eut disparu, Elise, intriguée, se pencha vers sa collègue.

— Qui est-ce ?

Sheryl se retint à temps de dire la vérité. Seuls, le receveur et Buck Aguilar étaient au courant des fonctions de l'agent secret, et Sheryl n'avait pas le droit d'en parler, même à sa meilleure amie. Elle répondit, évasive :

— C'est quelqu'un que je connais.

— Depuis quand ?

— Hier.

Elise ouvrit des yeux grands comme des soucoupes.

— Brian est au courant ?

Sheryl se rappela la conversation téléphonique qu'elle avait eue avec Brian, la veille au soir, en rentrant du restaurant. Elle s'était abstenue de répondre à des questions précises et il avait très mal interprété son silence.

— Ce n'est pas le problème de Brian, dit-elle. Je t'expliquerai plus tard.

Elle mit une pancarte « Fermé » sur son bureau et s'adressa aux clients qui manifestaient leur mécontentement.

— Je vous demande un peu de patience. Quelqu'un va venir bientôt pour me remplacer.

Elle fit le tour de l'établissement et arriva dans une petite cour où les employés avaient le droit de fumer.

Peggy, une brunette employée à la comptabilité, s'apprêtait justement à prendre dix minutes de pause.

— J'ai besoin de m'absenter, lui dit Sheryl. Peux-tu me remplacer au guichet ?

Peggy écrasa la cigarette qu'elle venait d'allumer.

— C'est mon ange gardien qui t'envoie, soupira-t-elle, résignée. Figure-toi que je m'étais promis de ne plus toucher une seule cigarette, mais j'ai du mal à résister à la tentation. Avec des clients devant moi, je tiendrai le coup plus facilement. Tu t'absentes pendant combien de temps ?

— Je n'en sais rien. Pas longtemps, j'espère. Je dois recevoir quelqu'un qui m'attend dans l'antichambre du patron.

— Alors bonne chance et à plus tard ! dit Peggy.

Sheryl retrouva Harry McMillan dans le bureau de Pat Martinez. Le directeur lisait un document tout en se grattant la tête avec son stylo, signe chez lui de grande perplexité.

Il leva les yeux vers la jeune femme et rendit la feuille à l'agent du FBI.

— L'ordre vient de si haut que je ne peux pas m'y opposer, dit-il.

Se tournant vers Sheryl, il ajouta :

— Mademoiselle Hancock, M. McMillan est en possession d'une ordonnance sur requête vous concernant. Provisoirement et sans perdre pour autant votre statut de titulaire à la poste, vous êtes relevée de vos fonctions actuelles et affectée à un service qui dépend de la Sûreté fédérale.

— Quoi ?

L'exclamation stupéfaite de Sheryl dut retentir jusque dans la salle du public. Incrédule, elle se demanda si réellement l'administration avait le droit de disposer d'elle comme d'un pion sur un échiquier.

Devançant sa question, Pat Martinez, visiblement très fier qu'une de ses employées eût été choisie comme auxiliaire de la Police fédérale, précisa :

— Je vous le répète, vous ne pouvez pas refuser. Je vous rassure tout de suite, cette affectation ne causera pas le moindre préjudice à votre carrière. Vous ne perdrez aucun des avantages attachés à votre poste. Naturellement, je suis navré de devoir me priver de vos services, mais je considère le choix du FBI comme un hommage rendu à vos qualités d'intelligence et de droiture.

Sheryl lui jeta un regard exaspéré. Elle avait besoin de réfléchir. Une fois le premier choc passé, elle avait d'abord éprouvé un indicible plaisir à la pensée de travailler avec Harry. Puis la crainte de ne pas être à la hauteur de la tâche était venue ternir son euphorie.

— Attendez ! dit-elle. Avant d'accepter, j'aimerais savoir ce qu'on va exiger de moi.

— Votre temps, mademoiselle Hancock, répondit Harry.

Il eut un sourire et ajouta :

— Il est vrai que pour vous, c'est peut-être un grand sacrifice, car dans cette mission, vous ne bénéficierez pas des horaires réguliers de l'administration. Mais j'ai eu l'occasion d'apprécier vos dons de perspicacité et de synthèse, et c'est pourquoi j'ai demandé votre transfert provisoire dans mon service. Comme je l'expliquais à M. Martinez, vous allez m'être utile pour démasquer un dangereux criminel...

Son regard de félin glissa de Sheryl à Pat Martinez et il conclut :

— La raison de cette mission relevant de la sûreté d'Etat, je vous demande, monsieur le receveur, de garder le secret, et je compte sur votre imagination pour donner à votre entourage une explication plausible de l'absence de votre employée.

— Vous pouvez me faire confiance, dit Pat d'un ton grave.

Un dernier scrupule traversant sa conscience, Sheryl objecta :

— L'annexe manque de personnel. Comment allez-vous vous en sortir en mon absence ? Buck Aguilar doit prendre le reste de ses vacances et Elise risque à tout moment de partir pour la maternité.

— Rassurez-vous, dit Pat. Tôt ce matin, j'ai reçu un message surprenant de la direction générale, m'annonçant l'augmentation de mes effectifs. Deux employés, détachés de la Poste centrale, arriveront dès demain.

Un rapide sourire éclaira les traits de Harry.

— J'avais tout prévu, dit-il d'un air avantageux.

Irritée par sa dernière remarque, Sheryl quitta le bureau et retourna au guichet pour régler les opérations de remise de poste avec Peggy qui la remplaçait.

La foule de la première heure avait été servie et seuls quelques clients attendaient encore devant les comptoirs.

Elise, étonnée, lui demanda des explications. Mais Sheryl resta évasive.

— La direction me charge d'un travail spécial à l'extérieur, répondit-elle à mi-voix.

— Avec le type magnifique en chemise bleue ? s'exclama Elise à voix basse. Veinarde ! Ce n'est pas moi qui décrocherais ce genre de job !

— Cela risque de t'arriver si, sur le chemin de ton retour, tu t'arrêtes pour t'inquiéter de la santé d'une vieille dame...

Elise en resta bouche bée.

— Rassure-toi, je plaisantais, dit Sheryl.

Elle signa la fiche de remise de caisse que lui tendait Peggy et se pencha par-dessus l'épaule d'Elise :

— J'ai un service à te demander, murmura-t-elle à l'oreille de son amie. J'ai promis à Brian de l'accompagner à l'heure du déjeuner pour donner mon avis sur un pavillon. Le propriétaire veut vendre, mais il y a tellement de transformations à faire que Brian hésite. Il voudrait savoir si on peut moderniser la cuisine. Toi qui as si bien arrangé la tienne, tu pourrais l'accompagner à ma place et l'aider à évaluer les travaux.

— Pourquoi pas...

— Tu lui diras que la direction me charge d'une mission spéciale et que je l'appellerai ce soir.

— D'accord. Explique-moi où vous aviez rendez-vous Brian et toi.

— Ici. Il devait m'attendre avec sa voiture, à midi, devant le parking réservé à la poste.

— J'y serai, sois tranquille.

Sheryl savait qu'elle pouvait faire confiance à Elise. Cette dernière avait rencontré Brian Mitchell la première quand l'agence où il travaillait lui avait vendu son appartement. Elle l'avait invité à sa pendaison de crémaillère et, tout de suite, il avait sympathisé avec Sheryl. Elise n'avait éprouvé aucune jalousie. Entre les deux femmes, l'amitié était plus forte que tout.

Sheryl remercia Elise d'accepter de se passer de déjeuner pour lui rendre service, puis elle la quitta.

La perspective d'apporter son aide au FBI dans une enquête criminelle l'excitait au plus haut point. Jusqu'alors, sa seule collaboration avec la police avait été d'afficher, parfois, dans le hall d'attente de l'annexe postale, des photos d'adolescents fugueurs ou de voleurs recherchés par le shérif du comté. Elle ne connaissait le monde du banditisme qu'à travers des romans ou des films et imaginait tous les criminels semblables à l'individu qui l'avait interpellée, tout à l'heure, au guichet.

Un vague sentiment de culpabilité l'envahit lorsqu'elle retrouva Harry McMillan dans la salle contiguë. Etait-ce vraiment la découverte d'un monde nouveau qui faisait battre son cœur plus vite que de raison ?

Debout, les mains dans les poches, comme s'il n'avait rien d'autre à faire de plus important, Harry l'attendait, appuyé contre le mur, dans une attitude insouciante qui ne cadrait guère avec son personnage.

— Je me prépare et je vous suis, dit Sheryl précipitamment en retirant sa blouse d'uniforme. Je suppose qu'il vaudrait mieux que je passe chez moi me changer. Les femmes en short ne doivent pas être tellement appréciées dans votre administration.

— Vous êtes très bien comme ça, dit-il brièvement.

Et son regard doré l'enveloppa, s'attardant sur sa poitrine et sur ses hanches. Sheryl crut sentir sur elle ses mains caressantes, et une rougeur monta à ses pommettes.

Elle pivota et s'engagea à grands pas dans le dédale de couloirs qui menait au vestiaire.

En la suivant, Harry avala sa salive avec difficulté. Jusqu'à présent, il n'avait pas remarqué la finesse de sa taille, le doux balancement de ses hanches et ses jambes au galbe parfait...

Fronçant les sourcils, il tenta de se raisonner. Ce n'était pas le moment de se laisser séduire par une femme, fûtelle belle comme une déesse. Il devait se concentrer uniquement sur son travail avec elle. Et si, en aussi peu de temps, il avait réussi à convaincre sa hiérarchie de déplacer provisoirement Sheryl Hancock d'une administration à une autre, ce n'était pas par affinité personnelle, mais parce qu'il était persuadé qu'elle lui fournirait enfin la clé de l'énigme qui le taraudait depuis si longtemps. Il était décidé à obtenir de Sheryl Hancock toutes les informations qu'elle détenait.

Sur le conseil de son avocat, Inga Gunderson refusait de parler. La nuit précédente, la police du comté avait passé des heures à l'interroger sans succès. Le juge avait décidé de la libérer sous caution, mais il avait rassuré Harry. Etant donné la surcharge de travail du tribunal, la suspecte ne quitterait pas sa cellule avant au moins deux jours.

Tôt le matin, Harry avait envoyé Evan en hélicoptère jusqu'à la base atomique de Los Alamos, à quatre cents kilomètres au nord d'Albuquerque. Là-bas, muni d'une autorisation spéciale, Evan devait rencontrer un expert qualifié qui lui donnerait des détails sur les propriétés physiques de l'uranium non enrichi. Déjà très documenté sur le sujet, Harry voulait savoir sous quelle forme se présentait le métal brut, volé à sa sortie de mine.

En même temps, il avait recommandé à la police de l'air et des frontières de surveiller les aérodromes privés de la région et de lui signaler tout atterrissage suspect.

Il sentait qu'il touchait au but.

En sortant de l'annexe, il proposa à Sheryl de laisser sa Toyota au parking de la poste.

— Mon équipe est installée dans l'immeuble fédéral, et depuis l'attentat d'Oklahoma City qui a fait 128 morts en 1995, l'entrée du parking est rigoureusement interdite à tout véhicule dépourvu d'un badge spécial. Nous reviendrons plus tard récupérer votre voiture.

Sheryl accepta. Lorsqu'il lui arrivait de passer devant l'imposant édifice fédéral, elle imaginait des bureaux ultramodernes, équipés de terminaux d'ordinateurs et d'écrans géants représentant les Etats-Unis vus par satellite. En entrant dans l'immense hall, l'idée d'appartenir, même pour un temps limité, à une élite de l'administration fédérale l'emplit de fierté. Elle se sentit une âme d'aventurière.

Mais la réalité la déçut, et elle perdit ses illusions en pénétrant au sixième étage, dans la salle de conférences réservée à McMillan. Au centre de la pièce, sur la longue table ovale, traînaient des tasses à café et des boîtes de pizzas vides. Les fils des téléphones serpentaient entre les soucoupes. Sur les murs d'un beige sale, étaient punaisés des graphiques. Une odeur de tabac refroidi empestait l'atmosphère.

Sheryl regarda Harry. Apparemment, il était habitué au désordre des lieux.

— C'est votre quartier général ?

— Provisoirement. Vous permettez ?

Et sans attendre la réponse, il se débarrassa de sa veste qu'il accrocha au dossier d'une chaise.

— Asseyez-vous ! dit-il.

Elle obéit sans détacher ses yeux du pistolet, dont la crosse noire dépassait de l'étui.

Il croisa son regard effrayé.

— Rassurez-vous, dit-il, je ne m'en sers qu'en cas d'extrême nécessité.

— Les armes me rendent nerveuse, avoua-t-elle. Je ne les aime pas.

— Moi non plus, et je déteste surtout celles dont les balles sont renforcées à l'uranium.

Sheryl comprit l'allusion. McMillan lui rappelait discrètement le motif de sa présence ici. Elle oublia l'arme, écarta une chaise de la table et s'assit.

— Je suis prête à répondre à vos questions. Que voulez-vous savoir, monsieur ?

— Harry, rectifia-t-il. Quand nous sommes seuls, oublions le protocole et appelons-nous par nos prénoms.

Il s'installa en face d'elle, dos à la fenêtre, et ouvrit son carnet devant lui.

— Nous allons procéder par ordre et nous intéresser aux trois derniers envois. J'ai l'intuition qu'ils nous donneront la clé de l'énigme. Décrivez-moi avec le plus possible de détails la vue de Pampelune. Je suis persuadé qu'un lien existe entre le recto et le verso de cette carte.

En quelques mots, Sheryl décrivit le lâcher de taureaux dans la rue étroite. La scène l'avait tellement frappée qu'elle n'omit ni les fleurs qui tombaient en grappes du haut des balcons ouvragés, ni le costume des participants à la feria.

Harry prenait des notes, cherchant des similitudes avec la vue de Rio. Sheryl se tut soudain et l'inspecteur releva la tête. Il observa son visage, qu'éclairait la vive lumière des fenêtres, et remarqua pour la première fois les taches de rousseur de chaque côté de son nez.

Ce détail le troubla autant que l'expression soudain rêveuse de la jeune femme. Elle avait serré ses cheveux dans un chignon, et Harry eut brusquement envie de se pencher par-dessus la table, d'ôter les épingles qui retenaient les cheveux blonds et de plonger les doigts dans leur masse soyeuse.

— ... En arrière-plan, continuait-elle, il y avait une cathédrale bizarre, dont la façade néo-classique jurait avec l'architecture ogivale des tours...

Elle s'aperçut que McMillan l'observait et expliqua d'un ton assuré :

— Dernièrement, j'ai lu un ouvrage très documenté sur les cathédrales gothiques du vieux continent...

— En avez-vous déjà visité ? demanda Harry.

— Non, hélas, et vous ?

Il fit oui de la tête et précisa :

— J'ai vu Notre-Dame, une des plus belles d'Europe.

— Notre-Dame, à Paris ?

L'émerveillement étonné de la jeune femme amena un sourire sur les traits sévères du policier. Il ne gardait qu'un souvenir vague de cette visite, effectuée un jour où le temps était particulièrement maussade, alors qu'il n'était encore qu'un jeune « marine » en permission. Il était entré dans l'église pour se mettre à l'abri de la pluie ; la majesté du lieu l'avait à la fois subjugué et écrasé. Il revoyait surtout la lueur des milliers de cierges tremblotant dans l'obscurité.

— Vous devriez demander à votre futur fiancé de vous emmener passer votre lune de miel en Europe, suggéra-t-il. Le vieux continent vaut le voyage.

Une petite ride se creusa entre les sourcils blonds, et il comprit que sa réflexion n'avait pas été du goût de Sheryl.

— Les voyages n'intéressent pas Brian. Pour lui, rien ne vaut Albuquerque. Parfois, je regrette son manque de fantaisie, mais je reconnais qu'il a raison. Mieux vaut garder son argent pour acheter une maison et économiser pour l'éducation de nos enfants. Il les adore et en veut plusieurs.

Harry la regardait avec un ahurissement teinté de pitié. Ainsi, cette jolie fille s'apprêtait à mener une petite vie paisible, étriquée, entre la cuisine et la table à langer, sans jamais franchir les limites de sa ville ?

Un souvenir le traversa, celui d'un tableau qui l'avait frappé alors qu'il visitait une exposition de peintures italiennes à New York. Une toile avait été prêtée par le musée du Louvre : *L'Enlèvement d'Hélène*. Il se voyait bien à la place du ravisseur. Avec quelle joie il enlèverait son adorable voisine ! Il l'arracherait à toute cette médiocrité et l'emmènerait très loin, sur une île déserte du Pacifique, où il lui ferait l'amour avec le bruit des vagues comme musique d'ambiance...

Un soupir lui échappa. Il reprit ses esprits et effaça de son esprit le bruit du ressac et l'image de la jeune femme nue sous le soleil.

— Parlons maintenant de ce qui était écrit au verso de la carte, dit-il d'une voix rauque.

Elle cilla, surprise par l'intonation de sa voix, puis répondit avec calme :

— Si mes souvenirs sont exacts, c'était court et gentil, du genre « Hello, tantine, j'ai passé deux jours à courir devant les taureaux. A bientôt, Paul. »

— Non, reprit-elle soudain, il avait écrit : trois jours. Pas deux.

Sur la table, un des téléphones sonna. Harry décrocha le combiné, écouta, puis raccrocha, après avoir promis de rappeler plus tard.

— Fermez les yeux ! ordonna-t-il à Sheryl. Je veux des réponses précises. Oubliez ce qui vous entoure et visualisez le texte dans votre tête. Ensuite, vous me le lirez.

Il répéta sa phrase plusieurs fois d'une voix monocorde et Sheryl eut l'impression d'être sous hypnose. Elle laissa la voix grave et lente la bercer jusqu'à la limite de la somnolence et, curieusement, tout lui revint, et elle se mit à répondre avec précision à toutes les questions du policier sur Rio, Pampelune, ou Venise.

Elle avait perdu toute notion de temps... Lorsque le son d'une autre voix l'arracha à son état de transe, elle ouvrit les paupières et regarda sa montre.

Elle avait parlé pendant près de trois heures !

Le sergent Evan Sloan venait d'entrer dans la salle. Après avoir salué les occupants, il rendit compte de sa mission à l'agent du FBI.

Muté provisoirement de la police du comté au groupe de travail formé par McMillan, Evan était un petit homme replet au visage rond. Il salua Sheryl, qu'il avait vue la veille dans le pavillon loué par Inga Gunderson, et ôta sa veste d'uniforme en s'excusant. Sheryl vit qu'une large tache de sueur maculait le dos de sa chemise.

Alors qu'il expliquait que l'uranium brut, de l'U 235, se présentait sous la forme de lingots gris foncé, d'une densité encore plus élevée que le plomb, une ravissante jeune femme vêtue d'un pantalon et d'une veste saharienne entra à son tour dans la salle. De type sud-américain, elle était brune, avec de grands yeux noirs. Elle était coiffée d'un Stetson.

— Je vous présente le sergent Fay Chandler, adjointe du shérif, réquisitionnée elle aussi, pour notre mission, dit McMillan à Sheryl.

La jeune femme ôta son chapeau, puis étala sur la table

une grande carte d'état-major. C'était une vue aérienne de la région, sur laquelle figuraient de petits cercles rouges.

— J'ai entouré d'un trait tous les aérodromes privés, à cinq cents kilomètres autour d'Albuquerque, dit-elle. J'ai également noté aussi leurs noms de code et demandé aux services des Douanes de les surveiller de près. Si une marchandise de contrebande transite par ces terrains, elle sera immédiatement interceptée.

Harry la remercia et jeta un regard distrait à la carte. Il avait inscrit les renseignements fournis par Evan sur une feuille détachée de son carnet, mais de toute évidence, son esprit restait préoccupé par les révélations de Sheryl.

Après avoir discuté un moment avec les deux sergents, il énonça d'un ton soucieux :

— Rio... Avril... Pampelune... Taureaux... Danse... Cathédrale gothique... Tous ces mots existent sur les cartes postales dont je vous ai parlé et ils n'ont pas été choisis par hasard. Je suis certain qu'un lien existe entre eux. Malheureusement, je n'arrive pas à deviner lequel.

Evan proposa d'interroger un des ordinateurs du quartier général.

— Je m'en charge, si vous voulez. L'informatique, c'est ma spécialité, et vous disposez ici d'appareils ultra-sophistiqués. Je vais aller m'installer dans la salle de bureautique et introduire toutes ces données dans l'ordinateur central. J'y ajouterai les noms de code des pistes d'atterrissage. Le synthétiseur fera le reste, et vous n'aurez plus qu'à les interpréter, Mlle Hancock et vous.

Harry haussa les épaules en signe d'accablement.

— J'aurais préféré trouver moi-même la solution. Ce que recrachent ces satanées machines n'est souvent qu'un ramassis d'inepties, et nous risquons de passer la nuit à les décrypter.

Sheryl dressa l'oreille. Ainsi, lorsque l'agent spécial avait affirmé qu'elle devrait lui consacrer tout son temps, ce n'était pas une plaisanterie ! Or, elle n'avait rien absorbé depuis le matin à part un paquet de chips et deux cannettes de bière, commandés par téléphone. Elle jeta un regard inquiet à McMillan : ça ne semblait pas le préoccuper le moins du monde.

— Je ne vais pas pouvoir vous aider, malheureusement, dit Fay. J'ai promis à mes deux plus jeunes fils d'être à la maison à 17 h 30, mais si vous voulez, je reviendrai plus tard.

McMillan lui sourit.

— Vous travaillez sans interruption pour moi depuis trois jours, sergent. Prenez donc un peu de repos et, regardez tranquillement la télé en famille, ce soir.

— On voit bien que vous êtes célibataire ! s'exclama Fay. J'aimerais suivre votre conseil, mais quand on est mère de trois enfants, on n'a jamais le temps de regarder la télévision.

Ainsi, Harry était célibataire ! Sheryl nota le renseignement dans un coin de sa mémoire. Elle avait déjà remarqué qu'il n'avait pas d'alliance, mais elle n'en avait tiré aucune conclusion car beaucoup d'hommes mariés n'en portaient pas.

Aussitôt, de nouvelles questions se bousculèrent dans son esprit. Etait-il divorcé ? Avait-il une maîtresse qu'il retrouvait chaque fois qu'il regagnait sa base ?

Puis son attention se reporta sur Fay qui se recoiffait du Stetson. Cette dernière la prit à témoin avec un clin d'œil en direction de Harry.

— Certains fédéraux s'imaginent que poursuivre les criminels à travers les Etats-Unis est une tâche surhumaine, mais je peux vous affirmer que leur job n'est que du bricolage à côté du travail qui attend une mère de famille, quand elle rentre le soir chez elle et qu'elle trouve le désordre causé par trois petits brise-tout.

— Je n'ai pas d'enfant, dit Sheryl, mais j'imagine assez bien...

Elle s'interrompit et ses yeux s'élargirent.

— ... Oh, mon Dieu, reprit-elle, mais moi aussi, j'ai un brise-tout à la maison !

Harry la regarda d'un air moqueur.

— Faites-vous allusion à la bête que vous avez recueillie ? Si vous découvrez votre intérieur dévasté, vous n'aurez que ce que vous méritez. Cette saleté tibétaine est capable de démolir tout ce qui est à portée de crocs.

Sheryl attrapa vivement son sac en essayant de ne pas imaginer les ravages qu'avait pu provoquer Puppy.

— Je vais appeler un taxi, récupérer ma voiture et rentrer chez moi, dit-elle, soucieuse. Je vous rejoindrai ici dans la soirée. A cette heure tardive, je trouverai bien une place dans les rues avoisinantes pour me garer.

McMillan lui fit signe de patienter et prit congé des deux sergents.

— Vous avez raison de vouloir récupérer votre voiture, dit-il quand ils furent seuls, mais il n'est pas question que vous appeliez un taxi. Je vous conduis jusqu'à l'annexe. En passant, nous nous arrêterons dans un McDo pour manger un morceau.

Sheryl frémit de plaisir à la pensée de partager de nouveau un repas avec Harry. Mais un nouveau sentiment de culpabilité l'étreignit lorsqu'elle réalisa que, depuis son départ de la poste, ce matin, elle n'avait pas pensé à Brian un seul instant. Elle se promit de lui téléphoner dès qu'elle le pourrait.

— Merci, Harry. J'accepte votre proposition, mais si vous le permettez, nous ne nous arrêterons pas pour dîner. Je préfère préparer des sandwichs chez moi.

— Comme vous voulez, admit-il de mauvaise grâce. Vous laisserez votre Toyota dans votre garage et je vous raccompagnerai ici dans ma voiture de fonction.

Alors qu'ils pénétraient dans l'ascenseur qui conduisait au parking souterrain, Harry dut faire des efforts surhumains pour rester à distance respectable de Sheryl. Il aurait aimé la prendre par la taille, la serrer contre lui et sentir sur sa joue la caresse des mèches blondes échappées de son chignon. Il se répétait mentalement que plaisir et travail ne faisaient jamais bon ménage. C'était une ligne de conduite qu'il avait rigoureusement suivie jusqu'alors. Mais cette fois, cela semblait au-dessus de ses forces. Il ne comprenait pas ce qui lui arrivait. Il ne pouvait détacher son regard des traits délicats qu'il avait en face de lui et se demandait quel goût pouvait avoir cette bouche sensuelle aux lèvres si pleines.

Les pensées libertines, qui le troublaient en contemplant la silhouette aux courbes tentantes, n'étaient-elles pas en train de lui ôter sa perspicacité habituelle? N'allait-il pas devoir laisser à l'ordinateur le soin de découvrir ce qu'en tout autre temps il aurait deviné lui-même?

Cette éventualité l'humiliait profondément, et pendant tout le trajet, il n'arrêta pas de bougonner. C'était l'heure de sortie des bureaux et les embouteillages qui bloquaient la circulation n'amélioraient pas son humeur.

Inquiète à la pensée des dégâts qu'avait pu provoquer son pensionnaire pendant son absence, Sheryl, elle, restait silencieuse.

Ils arrivèrent à l'annexe de Monzana Street bien après 19 heures alors que le soleil descendait vers l'Ouest en teintant de pourpre et d'or les versants rocheux des Sangre Mountains.

La rue où se situait l'annexe postale s'animait surtout à la tombée de la nuit. En ce moment, seuls les gens qui habitaient dans le quartier y circulaient.

Derrière la poste, s'étendait une zone industrielle que les ouvriers quittaient en fin d'après-midi. A présent, tous les collègues de Sheryl étaient repartis chez eux. Le parking réservé au personnel n'abritait plus que quelques camionnettes de service. La grille coulissante qui en protégeait l'entrée était fermée.

— Je vous attends ici, dans ma voiture, décida Harry en se penchant pour lui ouvrir sa portière. Quand vous aurez récupéré votre berline, je vous suivrai jusqu'à votre domicile...

Il jeta un regard sur les alentours et n'aperçut que des entrepôts à perte de vue.

— Vous n'avez pas peur? demanda-t-il.

— Peur de quoi ? A ma connaissance, dans le quartier, il n'y a jamais eu ni hold-up ni vol. Le parking est clos, mais j'ai ce qu'il faut pour en ouvrir la grille.

Elle sortit une clé de son sac, alla déverrouiller la porte métallique et fit glisser les deux vantaux. Sous ses semelles, l'asphalte, ramolli par la chaleur de la journée, étouffait le bruit des pas.

Alors qu'elle traversait le parking aux trois quarts vide, elle crut entendre un bruit derrière elle. Intriguée, elle se retourna. Eblouie par le soleil assez bas sur l'horizon, elle ne distingua rien et crut s'être trompée.

A mesure qu'elle progressait vers sa voiture, elle se rendait compte qu'il s'était produit quelque chose d'insolite. Sa Toyota semblait anormalement basse, comme affaissée de fatigue.

Lorsqu'elle s'en approcha, son étonnement se mua en consternation.

Les quatre pneus étaient à plat.

Elle se baissa pour les examiner. Ils n'étaient pas dégonflés comme elle l'avait cru. Une main criminelle les avait tailladés.

Sa première réaction fut une colère mêlée de tristesse. Elle ne se connaissait aucun ennemi. Qui donc la détestait au point de lui avoir crevé ses pneus?

L'ombre d'une silhouette derrière elle se projeta soudain sur sa carrosserie éclaboussée de soleil. Sheryl ne put retenir un cri de terreur.

5.

Elle se releva et pivota rapidement sur elle-même.

Apercevant les larges épaules de Harry, elle se sentit rassurée. Encore tremblante de peur, elle se jeta dans ses bras ouverts et se blottit contre sa poitrine dans un besoin irréfléchi de protection.

Un moment s'écoula avant qu'elle ne réussît à déclarer, d'une voix hachée par l'émotion :

— Quel... quelqu'un a crevé mes pneus.

— Je m'en doutais. De loin, votre voiture semblait anormalement basse. C'est pour ça que je vous ai suivie...

Tout en la serrant contre lui, il scruta les alentours. Une grille fermait le parking, mais des deux côtés, un simple muret, facile à escalader, le séparait d'un terrain vague.

— J'avais raison de m'inquiéter, continua Harry. N'importe qui peut s'introduire ici, et je n'aperçois aucune caméra de surveillance.

Sheryl se dégagea à regret des bras solides qui l'étreignaient. Elle ne savait plus si son émoi provenait de sa peur ou de l'intense plaisir qu'elle avait éprouvé au contact du corps de Harry. Mais, malgré la distance qu'elle avait mise entre eux, son cœur continuait à battre la chamade. Sans doute était-ce l'inquiétude qui la mettait dans cet état. Harry avait raison : n'importe qui pouvait s'introduire à l'intérieur du parking.

Elle consulta l'heure à sa montre.

— Buck Aguilar et le receveur ont terminé leur service et sont repartis chez eux depuis une vingtaine de minutes, dit-elle. Le voyou qui m'a joué ce sale tour n'a pu le faire qu'après leur départ, sinon ils m'auraient laissé un petit mot sur le pare-brise.

Harry s'était baissé et examinait les dégâts sans toucher aux pneus.

— On les a tailladés à coups de cutter, dit-il en se relevant. Parmi vos collègues, en connaissez-vous un qui possède ce genre d'objet ?

Elle le regarda d'un air scandalisé.

— Vous ne soupçonnez tout de même pas un employé de la poste ?

— Je soupçonne tout le monde.

— Mais je n'ai que des amis, ici.

— Réfléchissez, Sheryl. Vous avez peut-être causé du tort à quelqu'un sans vous en rendre compte.

Il y avait bien ce chauffeur des messageries que, plusieurs fois, elle avait rembarré pour son humour vulgaire... et le jeune stagiaire, un peu coureur et prétentieux, qui la poursuivait de ses assiduités... Mais ni l'un ni l'autre n'auraient pu lui en vouloir au point de se venger aussi bassement.

— Non, répéta-t-elle, je ne connais personne qui soit capable d'un acte aussi bête et méchant.

— Alors, j'ai bien peur qu'il ne s'agisse d'un avertissement en rapport avec votre mutation dans mes services, dit McMillan, soucieux. Avez-vous touché aux pneus ?

— A un seul, celui de l'arrière droit. Pourquoi ?

Il ne répondit pas, sortit son portable de sa poche et appuya sur une touche. Comprenant qu'il appelait la police du comté, elle fronça les sourcils.

— Vous n'allez pas déranger le shérif pour si peu, tout de même, c'est ridicule.

Impassible, McMillan se justifia :

— Tout flic est méfiant de nature. Il y a ici assez de

camionnettes pour amuser n'importe quel vandale, or la seule voiture qui a été visée, c'est la vôtre. Les intentions de l'auteur sont évidentes : il veut arrêter votre collaboration avec moi. La police va relever les empreintes. Si certaines sont déjà répertoriées au fichier central, ça sera un sacré coup de pot, mais on peut toujours rêver... En dehors de votre travail, qui fréquentez-vous ?

— Je mène une vie paisible et, à part le client de ce matin, personne ne m'a jamais insultée.

— Parlez-moi de votre fiancé... pardon, de votre futur fiancé, rectifia-t-il avec une ombre de sourire.

Une bouffée d'indignation colora les joues de Sheryl.

— Ne mêlez pas Brian à cette histoire. Nous ne nous disputons pour ainsi dire jamais et il n'est vraiment pas du genre à commettre un acte de vandalisme. C'est un garçon sérieux et bien élevé.

— Que fait-il dans la vie ?

Révoltée qu'il continuât ainsi à soupçonner son entourage, elle fournit avec réticence les précisions qu'il exigeait.

Elle s'interrompit en entendant l'écho, encore lointain, des sirènes de police.

— Déjà ? s'étonna-t-elle. Pour envoyer si vite ses agents, le shérif doit être un de vos amis.

Il lui adressa cette fois un vrai sourire.

— En général, les shérifs n'apprécient guère l'intrusion des fédéraux dans leur secteur. Ils nous appellent « les cowboys » ou « les hommes du Président ». Mais cette fois, il se trouve que j'ai demandé la collaboration de la police locale. Elle m'a prêté deux de ses membres, et je n'ai plus qu'un signe à faire pour qu'ils accourent à mon secours. En plus, l'incident qui vient de se produire est de son ressort, pas du mien.

Il forma de nouveau un numéro sur son portable et eut le sergent Sloan en ligne.

— Evan, dès que vous aurez terminé avec l'ordinateur, essayez de savoir si, pendant son interrogatoire, Inga Gunderson a reçu une visite autre que celle de son avocat. Elle a pu contacter quelqu'un à l'extérieur, un traiteur par exemple, pour se faire livrer un sandwich ou une bière. Je veux que vous passiez au crible chaque seconde du temps qu'elle a passé dans les locaux de la police, hier après-midi.

Hier après-midi ?

Sheryl soupira, incrédule. Dire que c'était hier qu'elle s'était rendue chez Inga Gunderson pour s'inquiéter de sa santé ! Cela faisait à peine vingt-quatre heures qu'elle était entrée chez la vieille dame et était tombée dans les bras de Harry McMillan, mais elle avait l'impression de connaître le policier depuis toujours ! En songeant aux événements qui étaient venus bousculer la routine de son existence, elle réalisa qu'elle avait par deux fois fait faux bond à Brian. Elle avait hérité d'un hôte à quatre pattes, parfaitement odieux, pour lequel elle avait malgré tout acheté une laisse et des croquettes spéciales, en venant prendre son service. Un peu plus tard, elle était passée du statut d'employée des postes à celui d'auxiliaire de la police fédérale, et maintenant, elle devait remplacer les quatre pneus de sa voiture. Des pneus presque neufs !

Elle se demandait si son assurance les lui rembourserait, lorsque la voiture de police, toutes sirènes hurlantes, pénétra en trombe dans le parking.

Le temps que l'équipe termine ses investigations et qu'une camionnette de dépannage remplace les quatre pneus crevés, le soleil avait basculé à l'horizon derrière la chaîne des volcans éteints. Comme tous les soirs, il laissait derrière lui un ciel aux couleurs somptueuses, mêlant des traînées topaze aux pourpres et aux violets. Par moments, il réapparaissait entre deux montagnes et incendiait de nouveau les toits.

A Albuquerque, le crépuscule ne dure guère, et tandis que Sheryl roulait vers sa résidence au volant de sa voiture chaussée de neuf, les lampadaires de la ville s'allumèrent tous en même temps.

La police n'avait rien découvert qui pût la mettre sur la piste du coupable. Aucune empreinte, aucun objet, pas le moindre indice. Décidément, on était loin de ce qui se passait dans les films ou dans les romans ! Un des brigadiers avait promis à Harry d'enquêter, dès le lendemain, du côté des entrepôts. Peut-être un des ouvriers avait-il remarqué quelque chose d'insolite après la fermeture de la poste ?

Les allées et venues du car de police, et des voitures de Sheryl et de Harry, n'avaient pas été des plus discrètes, et la jeune femme se doutait que, dans Monzana Street, la rumeur allait courir qu'il s'était passé quelque chose de grave du côté de la poste. Demain matin, à coup sûr, dès l'ouverture des bureaux, quelques curieux ne manqueraient pas de venir aux nouvelles. Sheryl imaginait l'inquiétude d'Elise qui se demanderait alors dans quel guêpier son amie s'était fourrée.

« Je l'appellerai tout à l'heure, après avoir téléphoné à Brian », se promit-elle.

Curieusement, l'idée d'entendre la voix de Brian ne lui procurait aucun plaisir.

Elle s'alarma de cette réaction étonnante et sentit la crainte l'envahir. Se serait-elle trompée sur la nature des sentiments qu'elle éprouvait pour Brian ? Pourtant, elle était sûre de l'aimer. Alors, d'où lui venait ce doute subit ? Ne partageaient-ils pas les mêmes goûts, les mêmes idées sur la façon d'envisager l'avenir ? Ne trouvait-elle pas auprès de lui cette sécurité qui lui avait tellement manqué pendant son enfance ? La vie avec Brian serait celle qu'elle avait toujours souhaitée : confortable, programmée, équilibrée.

Mais étaient-ce seulement ces qualités-là qu'elle espérait découvrir dans le mariage ?

Elle n'en était plus si certaine, aussi préféra-t-elle mettre son hésitation sur le compte de la fatigue. Les événements de ces deux derniers jours l'avaient épuisée. Dès qu'elle aurait repris ses bonnes vieilles habitudes et son travail à la poste, elle éprouverait de nouveau du plaisir à retrouver Brian.

Elle se gara dans le parking de sa résidence, et vit la voiture de Harry s'arrêter sur une des places réservées aux visiteurs. Le temps qu'elle prenne son sac et sa veste, et il était déjà près d'elle, ouvrant sa portière pour l'aider à descendre de voiture. Au contact de sa main chaude sur son bras nu, un frisson la parcourut qui augmenta encore la confusion...

Prise de panique, elle se libéra et précéda le policier en direction de son appartement. A la lueur du lustre en fer forgé qui éclairait le hall de son immeuble, et pendant que Sheryl cherchait ses clés dans son sac, Harry examina la maison d'un œil professionnel. Un jet d'eau chantait au centre d'une cour carrelée semblable à un patio. Dans le hall qui desservait les autres appartements, deux miroirs se faisaient face, reflétant à l'infini des bacs pleins de fleurs rouge et jaune qui dégageaient un subtil parfum de vanille.

— Comme c'est agréable, ici ! dit-il tandis que Sheryl déverrouillait la porte d'entrée. Cet endroit est vraiment très accueillant. On a envie de s'y arrêter pour ne plus repartir. J'aimerais bien retrouver une maison comme celle-là, quand je rentre de mission.

« ... Quand je rentre de mission... »

La phrase résonna étrangement dans l'esprit de Sheryl. En quelques mots, Harry venait de la libérer des doutes qui l'assaillaient quelques minutes plus tôt. Une seule chose comptait pour elle : Brian, lui, ne partirait jamais au loin. Chaque soir, elle le retrouverait dans leur appartement, et c'est ce qu'elle désirait. Elle n'avait pas besoin d'un aventurier qui ne rentrait chez lui que pour le repos du guerrier...

— C'est vrai que c'est confortable ici, dit-elle. C'est Brian qui m'a trouvé cette résidence. Il a beaucoup de goût.

Elle avait parlé d'un ton désinvolte, à la limite de la provocation, attendant une riposte qui ne vint pas.

Elle ouvrit la porte, appuya sur le bouton qui commandait

toutes les lampes de l'appartement et s'immobilisa, horrifiée.

— Oh, non ! gémit-elle.

Des vêtements étaient éparpillés sur le dallage du vestibule et sur les tapis de la grande pièce qui faisait à la fois office de salon et de salle à manger. Lingerie, pulls et chemisiers étalaient leurs taches multicolores un peu partout. Le matin même, avant de partir, elle les avait rassemblés dans un panier d'osier, pour les mettre dans la machine à laver dès son retour.

— Puppy ? railla Harry dans son dos.

— Qui voulez-vous que ce soit ? Un fantôme ?

Elle referma la porte derrière eux, jeta son sac et ses clés sur un coffre et commença à ramasser le linge en appelant Puppy.

— Il a dû s'échapper, commenta Harry, hilare.

— C'est impossible. Toutes les fenêtres étaient fermées. Allez vous installer dans le salon. Je vais passer en revue le reste de l'appartement.

Elle découvrit le chien sur son lit : allongé, le museau posé sur ses pattes, battant le couvre-pied de satin crème d'une queue triomphante, il paraissait fier de son exploit.

A l'entrée de la jeune femme dans la chambre, il lança un petit jappement paresseux.

Furieuse, elle le tança vertement.

— C'est tout ce que tu trouves à dire ? La porte s'ouvre, des gens entrent qui pourraient être des cambrioleurs et tu ne bouges pas une oreille, alors que, d'habitude, tu aboies pour un rien. Et regarde ce que tu as fait, continua-t-elle en montrant les vêtements en vrac dans ses bras. Tu es une vraie calamité, Puppy !

Pour toute réponse, il se contenta de relever le front et de bâiller.

Découragée, Sheryl entra dans la salle de bains. Elle releva d'un pied le panier à linge que le chien avait fait basculer et y fourra la brassée de vêtements. Sa seule satisfaction fut de constater que l'animal avait compris à quoi servaient les journaux étalés sur le carrelage.

Après avoir rapidement nettoyé la salle de bains, Sheryl se lava les mains, puis elle retira les épingles de son chignon. Ses cheveux retombèrent en vagues souples dans son dos et sur ses épaules. Elle les brossa et les disciplina à l'aide un serre-tête avant de revenir dans la chambre.

Puppy avait suivi tous ses gestes des yeux. Quand il la vit s'engager dans le couloir menant au living, il sauta du lit et la suivit, le nez sur ses talons. Debout devant la grande baie, Harry en examinait la fermeture. Sheryl n'avait pas fait deux pas dans la pièce que Puppy fila, babines retroussées, en direction du policier.

Harry pivota et fit front.

— Essaie seulement d'effleurer le revers de mon pantalon, gronda-t-il, et je te promets qu'il t'arrivera des histoires...

Les poils hérissés, Puppy s'arrêta à un mètre de son ennemi en aboyant.

Harry continuait sur le même ton :

— Si j'étais à la place de Mlle Hancock, je t'aurais expédié à la fourrière, espèce de microbe. La paix, maintenant ! Tu as entendu, j'ai dit LA PAIX !

Puppy ignora l'ultimatum et se mit à aboyer de plus belle.

Comprenant que la situation risquait de devenir explosive, Sheryl s'approcha, prit le chien sous son bras et lui parla doucement :

— Sois sage, Puppy. Harry est mon ami. Tu ne dois plus jamais aboyer après lui ni essayer de le mordre.

Elle ne ressentait pas d'attirance particulière envers cet animal qu'elle trouvait plutôt mal éduqué, mais elle caressa pourtant la petite boule de fourrure. Puppy se tut et elle sentit son corps frissonner de rage... Ou de peur, se dit-elle, indulgente.

— Quel chien de garde ! railla Harry. Il n'a pas bronché

quand vous avez ouvert la porte et c'est seulement cinq minutes plus tard qu'il réagit. Ne comptez pas trop sur lui pour vous défendre... ni sur vos serrures, du reste. J'ai vérifié celle de la porte. De l'extérieur, un gamin pourrait l'ouvrir.

— Le quartier est paisible, protesta Sheryl. On n'a encore jamais constaté la moindre infraction dans l'immeuble.

— Il y a un début à tout. Et je vous rappelle que vous êtes devenue une cible. D'ailleurs, j'ai appelé le service de sécurité des fédéraux. Des hommes vont venir installer chez vous un système d'alarme et ils en profiteront pour équiper votre voiture d'un badge électronique qui vous donnera accès au parking de notre quartier général.

— Quand viendront-ils ?

— Ce soir, bien sûr. Ils seront ici dans un peu plus d'une heure. Vous êtes en danger, mon petit, ne l'oubliez pas.

Sheryl sentit la peur la glacer. Elle crispa sa main sur la houppe soyeuse du chien, relevée par un ruban.

Harry surprit son geste et pour la rassurer, il s'approcha d'elle et lui caressa la joue.

— Je ne voulais pas vous effrayer, Sheryl, pardonnez-moi.

La douceur soudaine de la voix et le contact de sa main la bouleversèrent. Elle leva les yeux vers lui et remarqua les minuscules points d'or qui donnaient à son regard brun une chaude intensité. Un sourire lumineux éclairait son visage. Sheryl retint sa respiration. Secouée par un tourbillon d'émotions, où se mêlaient la peur, la surprise, l'enchantement, mais aussi le remords de se sentir aussi faible, elle laissa la main aux longs doigts déliés glisser lentement de sa joue à sa nuque.

Harry percevait son frémissement et comme elle ne s'écartait pas, il s'enhardit et approcha du sien le visage de la jeune femme. En même temps, il se débattait avec sa conscience qui lui rappelait qu'il ne devait jamais mélanger plaisir et travail. Laissant le désir prendre le pas sur la raison, il préféra rester sourd à la voix de la sagesse.

Sheryl était si belle. Sa peau était si fine, sa chevelure blonde semblait capter toute la lumière de la pièce. Et ses lèvres... mon Dieu, ses lèvres, si délicieusement ourlées, quel goût avaient-elles ? Jamais il n'avait tenu dans ses bras une femme aussi séduisante, mais avait-il jamais pris le temps de regarder les femmes ?

Les yeux noyés, Sheryl restait immobile. Elle avait légèrement levé la tête comme pour lui offrir ce qu'il désirait si fort.

Alors, il accentua la pression de sa main sur sa nuque soyeuse, et leurs lèvres se joignirent dans un baiser très doux, presque amical. Mais en une fraction de seconde, les démons que Harry tentait de retenir se déchaînèrent. En proie à une ardeur incontrôlée, il prit la bouche offerte, lorsqu'une douleur à son bras droit le fit sursauter.

Dans une détente de cobra, Puppy, toujours tapi sous le bras de Sheryl, venait, en grondant, de planter ses crocs dans la manche qui passait sous son museau.

Dégrisés, ils s'écartèrent aussitôt l'un de l'autre. Sheryl donna une tape sur la tête du chien pour lui faire lâcher prise.

— Sale roquet ! grommela Harry.

Encore toute vibrante des sensations qu'avait éveillées en elle le baiser de Harry, Sheryl prit la défense du chien.

— Il a juste voulu me protéger.

Mais Harry ne l'écoutait même pas. Furieux d'avoir d'avoir été interrompu aussi brutalement sur le chemin du paradis, il saisit l'animal par son collier, le tira jusqu'à la baie coulissante et le jeta sur la terrasse.

Apparemment calmé, Puppy se contenta de gratter la vitre en gémissant.

Harry revint vers Sheryl et voulut la reprendre dans ses bras. Mais la jeune femme l'arrêta d'un simple regard.

— Je suis désolé, dit-il, l'air contrit.

Elle perçut la consternation dans sa voix et comprit qu'il était sincère.

En réalité, il était doublement mécontent de lui. D'une part, il était frustré d'avoir dû renoncer à serrer Sheryl dans ses bras et, de l'autre, il s'en voulait de s'être ainsi laissé aller. C'était une des choses les plus stupides qu'il eût jamais faites. N'avait-il pas déjà commis deux erreurs magistrales dans sa vie ? La première avait été de se marier beaucoup trop jeune. La seconde avait eu lieu bien des années plus tard, lorsqu'il avait décidé de prendre quelques jours de repos pour aller pêcher la truite dans le Michigan. C'est pendant ces malencontreuses vacances que Dean, son meilleur ami, avait été abattu par Richard Johnson.

Il avait réparé la première erreur en divorçant. La seconde restait pour lui un sujet de remords permanent. Il espérait l'atténuer en livrant le meurtrier à la justice, mais pour accomplir cette mission, il avait besoin de Sheryl. La jeune femme était provisoirement son auxiliaire, et en aucun cas leurs relations ne devaient s'écarter du domaine professionnel. Le désir qui les avait troublés n'était qu'un incident qui ne se renouvellerait plus.

— Pardonnez-moi, Sheryl, ajouta-t-il d'un ton plus ferme. J'ai agi comme un idiot, je suis désolé.

— Un... un idiot ?

Visiblement, elle était encore bouleversée.

— J'ai pour principe de ne jamais chasser sur les terres d'un autre homme.

Parce qu'elle conservait en elle, brûlant et dévastateur, le souvenir de leur baiser, elle mit quelques secondes avant de comprendre ce qu'il voulait dire.

Elle avait oublié Brian !

La honte la saisit à cette idée...

Et pourtant, elle le savait, l'intense plaisir éprouvé au contact des lèvres de Harry sur les siennes laisserait en elle une trace indélébile. Jamais un baiser de Brian n'avait soulevé en elle un tourbillon de désir aussi ardent.

Ne sachant plus que penser, elle décida de mettre une distance respectable entre elle et son hôte. Lui tournant le dos, elle se rendit dans la cuisine et versa le contenu d'un paquet de croquettes dans une écuelle.

— Je vais donner à manger au chien, dit-elle. Vous, Harry, repartez pour votre quartier général. J'irai vous y retrouver un peu plus tard, et nous pourrons travailler une partie de la nuit.

— J'ai une bien meilleure idée, dit Harry qui l'avait rejointe après avoir ôté sa veste. Pendant que vous vous occupez de votre maudit clebs, je vais nous préparer à manger. De toute façon, je dois rester ici pour attendre les gars de la sécurité.

— Le réfrigérateur est plein, dit Sheryl, mais je ne peux pas vous laisser préparer le dîner.

— Pourquoi ?

— Eh bien... parce que ce n'est pas le travail d'un agent du FBI.

— Détrompez-vous, dit Harry en riant. Mon ex-épouse s'est chargée de mon éducation. Lorsque je revenais de mission, elle ne mettait plus les pieds dans la cuisine et me laissait me débrouiller. Ma spécialité, ce sont les spaghettis à la bolognaise. Vous aimez ?

— Beaucoup.

Ainsi, il avait été marié et ne l'était plus. Elle nota le renseignement dans un coin de sa tête.

Après avoir apporté à Puppy la jatte pleine de nourriture, elle revint s'asseoir sur un des hauts tabourets du bar qui séparait la cuisine de la pièce de réception. Tout en bavardant avec Harry, elle le regarda préparer le repas avec gourmandise tandis qu'une odeur appétissante emplissait l'appartement. Puis elle dressa le couvert sur la table de la salle à manger.

Un quart d'heure plus tard, ils se régalaient d'un savoureux plat de spaghettis al dente nappés d'une sauce exquise.

— Félicitations ! dit Sheryl. Votre ex-femme a fait de vous un chef trois étoiles.

— Et un homme dégoûté à jamais du mariage.

— Vraiment ? Combien de temps êtes-vous resté avec elle ?

— Cinq ans d'après le calendrier. Mais à cause de mes nombreux déplacements, je crois que nous n'avons pas passé plus de trois années ensemble.

— Les absences trop fréquentes tuent l'amour, commenta doctement Sheryl.

Il lui jeta un coup d'œil surpris.

— C'est exact. On dirait que vous en avez déjà fait l'expérience.

— Mon père voyageait beaucoup pour son travail et j'ai toujours vu ma mère très malheureuse.

— Et maintenant ?

— Mes parents ont divorcé lorsque j'avais dix ans. Pendant quelques années, mon père est revenu à la maison pour Noël, et puis il a complètement disparu.

— Il est mort ?

— Je l'ignore. Il n'a plus jamais donné de nouvelles.

— Avez-vous jamais envisagé de le faire rechercher ? Ce serait un jeu d'enfant pour mes services, vous savez.

— Non, Harry. Merci de le proposer, mais ni ma mère ni moi ne tenons à le revoir.

— Si vous changez d'avis, je suis à votre disposition, dit Harry en terminant son assiette de pâtes. Que préférez-vous comme dessert ? Banane flambée ou mousse au chocolat ? Je réussis très bien les deux.

— Quelle modestie ! dit-elle en riant. Je me contenterai d'une pomme. C'était délicieux. Merci, Harry.

Il alla chercher un compotier de fruits dans la cuisine, et elle le suivit d'un regard admiratif en essayant d'oublier qu'au lieu d'une toque sur la tête, il portait un holster sous le bras gauche.

Libéré par la jeune femme, Puppy s'était perché sur le dossier d'un fauteuil. Il semblait s'habituer à la présence de Harry, mais ne le quittait pas des yeux.

Dès qu'ils eurent terminé leur repas, Harry proposa à Sheryl de s'asseoir tranquillement avec lui sur un des divans du salon pour bavarder. Il avait sorti de la poche de sa veste son carnet noir et le tapotait d'un stylo impatient.

Ils s'installèrent l'un en face de l'autre. Harry demanda à Sheryl si elle se souvenait des cartes qui avaient précédé celles de Pampelune et de Rio.

— Oui. Elles avaient été postées à Venise, Antibes, Prague et la Barbade.

— Vous en êtes sûre ?

— Certaine. Comment aurais-je pu oublier les palais et les gondoles de Venise, les pins parasols et les rochers rouges de la Côte d'Azur, sans parler des plages magnifiques de la Barbade !

Harry arrêta de prendre des notes et regarda Sheryl. Elle avait les yeux dans le vague et, à son expression rêveuse, il comprit qu'elle était en train de contempler les palmiers et le sable blanc des paysages lointains qu'elle lui décrivait.

Même si elle critiquait le comportement irresponsable de son père, elle avait sûrement hérité de son goût des voyages... Il se mit à rêver, lui aussi. Comme il aimerait lui faire découvrir les canaux de Venise ou les merveilles de la Côte d'Azur !

Un bruit sourd le ramena à Albuquerque. Toujours sur son perchoir, Puppy s'était redressé et, les babines retroussées, il grognait en regardant vers le hall.

— Vous attendez quelqu'un ? demanda Harry.

— Non. Mais Puppy a peut-être flairé l'équipe de sécurité.

— C'est impossible. Elle ne peut pas être arrivée. Restez ici, je vais voir.

Les sens en alerte, Harry se posta derrière la porte. Il entendit un léger bruit métallique à l'extérieur. Il alla regarder par la fenêtre, mais ne distingua rien. Revenu dans l'entrée, voyant le verrou glisser doucement, il plongea sa main droite sous son veston et dégaina son Smith & Wesson.

Dans le salon, Puppy grognait toujours.

Une clé tourna dans la serrure et la porte s'ouvrit.

Harry se jeta sur l'arrivant. Il le ceintura, lui tordit le bras et le plaqua contre le mur.

Au même moment, le chien se précipitait dans le hall, suivi de Sheryl qui criait :

— Non, Harry, attendez !

Le visiteur bégaya :

— Mais... mais enfin, que... que se passe-t-il ?

Pour toute réponse, Harry tordit un peu plus le bras de l'inconnu. Sautant en tous sens, Puppy poussait des aboiements stridents qui lui mettaient les nerfs à vif.

— Qui êtes-vous ? cria Harry.

Sheryl s'accrocha à son épaule et l'obligea à lâcher prise.

— Laissez-le, Harry. C'est Brian, mon ami. Il a les clés de l'appartement.

Harry avait libéré le visiteur, mais, plus tenace, Puppy continuait à mordre le bas de son pantalon de lin. Sheryl dut lui donner une volée de tapes sur l'échine pour qu'il se décide à desserrer les mâchoires.

Les joues écarlates, les deux hommes se dévisageaient sans aménité. Sheryl enlaça tendrement son futur fiancé.

— Brian, mon chéri, je suis désolée. Je ne t'attendais pas. J'étais sur le point de te téléphoner. Le chien ne t'a pas mordu, au moins ?

— Non. Qui est ce type ?

Les lèvres serrées, il regardait son assaillant remettre posément son arme dans l'étui. Sheryl adressa à Harry un regard suppliant :

— Je peux lui dire la vérité ?

— En partie, oui, maugréa Harry.

Il aurait dû se calmer, mais sans pouvoir se contrôler, il sentait sa tension grimper dangereusement. Il ne supportait pas les attentions dont Sheryl entourait son futur fiancé, pas plus que le tutoiement qu'elle employait pour lui parler. Le pauvre garçon avait l'air totalement dépassé par les événements et fixait Sheryl d'un œil effaré.

— A midi, Elise m'a dit qu'un homme était venu te chercher à la poste pour une mission à l'extérieur. Je suppose qu'il s'agit de ce monsieur?

— Oui.

Brian ricana.

— Le travail s'est poursuivi un peu tard, non?

Il toisa Harry d'un air dédaigneux et poursuivit :

— C'est curieux, je n'aurais pas cru que vous étiez du genre à avoir un pékinois.

— Vous avez raison, cher monsieur, ce n'est pas du tout mon genre. C'est notre petite Sheryl qui a voulu se charger de ce chien.

— Allons dans le salon, décida la jeune femme d'un ton péremptoire. Je vais tout t'expliquer, Brian.

Le comportement des deux hommes la consternait. Brian avait toutes les raisons du monde d'être mécontent, mais elle ne comprenait pas pourquoi Harry éprouvait le besoin de se montrer aussi provocant. Et d'ailleurs, pourquoi avait-il parlé d'elle en disant « notre petite Sheryl » ? Cette familiarité ne pouvait qu'irriter Brian.

Lorsqu'il entra dans le living, Brian repéra aussitôt les assiettes sur la table et la bouteille de chablis à moitié vide. Il pinça de nouveau les lèvres et lança à Sheryl un regard de reproche.

Harry fouilla dans sa veste, en sortit sa carte du FBI et la lui mit sous les yeux :

— McMillan, agent spécial. Puisque Sheryl vous a choisi comme fiancé, je pense que je peux compter sur votre discrétion. Je suis à la recherche d'un criminel qui nous a échappé voici près d'un an. Sa trace m'a conduit jusqu'à Albuquerque et, pour des raisons dont Sheryl vous parlera plus tard, jusqu'à l'annexe postale de Monzana Street.

Brian fronça les sourcils.

— Un criminel? demanda-t-il, l'air inquiet.

— Oui. Il a tué un de nos agents.

— Et vous avez mêlé Sheryl à cette enquête ? dit-il en s'emportant. Est-ce que vous vous rendez compte des dangers que vous lui faites courir ? Je vous ordonne de la laisser tranquille.

Sheryl soupira.

— Votre petit numéro commence à me fatiguer, dit-elle, exaspérée. Au cas où vous l'auriez oublié, tous les deux, j'ai mon mot à dire, moi aussi. Je suis libre de faire ce que je veux, mon cher Brian. J'ai accepté d'aider M. McMillan, et je ne reviendrai pas sur mon engagement.

Brian se raidit et riposta :

— Tu es libre de faire ce que tu veux, mais je ne supporte pas l'idée que tu puisses courir un danger. D'autre part, je te rappelle que cette aventure dans laquelle tu t'es jetée est en train de bouleverser complètement nos habitudes. Tu as oublié deux fois notre rendez-vous et ça, c'est grave, Sheryl, conclut-il, le regard triste.

La colère de Sheryl fondit instantanément, faisant place à une vague de remords. Elle connaissait la sensibilité de Brian et sa gentillesse, pourtant elle ne s'était pas préoccupée de lui depuis sa rencontre avec Harry. Elle eut envie de se blottir dans ses bras et de l'embrasser.

Observant la jeune femme avec attention, Harry devina les sentiments qui la bouleversaient. Refoulant ses propres émotions, il décida de laisser les amoureux en tête à tête. Voyant le chien, à présent calmé, flairer avec ostentation les pieds de la table, il dit à Sheryl :

— Cette petite peste ne va pas tarder à lever la patte sur vos meubles. Il vaudrait mieux le sortir. Restez ici, c'est plus raisonnable, je vais me charger moi-même de cette corvée. Profitez de mon absence pour expliquer à votre ami la raison pour laquelle, depuis deux jours, vous n'avez pas pu le joindre. Je vais également téléphoner à l'équipe de sécurité et leur demander pourquoi ils ne sont pas encore arrivés.

Tout heureuse de sentir l'atmosphère se détendre, Sheryl s'empressa d'attacher au collier de Puppy la laisse qu'elle avait achetée le matin même. Elle mit l'autre bout dans la main de Harry en le remerciant chaleureusement.

Après le départ de l'agent spécial, Sheryl obligea Brian à s'asseoir sur un des divans. Elle s'installa à côté de lui et raconta, dans le détail, les événements des deux derniers jours. Lorsqu'elle arriva à l'épisode des pneus tailladés, Brian fronça les sourcils et l'interrompit.

— Tu vas dire que je me répète, Sheryl, mais je n'aime pas ça du tout. Je t'en supplie, débarrasse-toi vite de cette corvée. C'est facile. Tu n'as qu'à dire à ce policier que tu ne te souviens plus de ce qui était écrit au verso des cartes. Il te laissera tranquille.

— Non, je ne peux pas faire cela. Je ne dis pas que cette histoire m'enchante, mais il ne faut tout de même pas dramatiser. Celui qui a crevé mes pneus n'était peut-être qu'un voyou en quête d'un mauvais coup. McMillan a tendance à tout rattacher à son enquête. Pour me protéger, il a même demandé à la police d'installer des nouvelles serrures et un système de sécurité dans l'appartement.

— Je n'aime pas ça, répéta Brian, têtu, en fronçant les sourcils.

Sheryl passa un bras autour du cou de son futur fiancé et posa sa tête contre son épaule.

— Ne sois pas inquiet, chéri. Dis-toi que les informations que je livre à McMillan permettront peut-être l'arrestation d'un dangereux criminel. Je ne fais qu'accomplir mon devoir de citoyenne. Quand tout sera fini, nous reprendrons nos chères vieilles habitudes, je te le promets.

— Vivement que tout ça se termine ! dit-il en pivotant légèrement pour l'enlacer.

Leurs bouches s'unirent pour un tendre baiser. Mais au contact des lèvres de Brian, Sheryl se surprit à rechercher en vain les sensations qui l'avaient bouleversée une heure plus tôt. Pourtant, Brian l'embrassait avec son habituelle douceur. Un peu plus tard, elle se demanda si c'était elle ou lui qui, le premier, avait mis fin à ce baiser, mais elle se souvint seulement du regard intrigué qu'il lui avait décoché en se levant.

— Je rentre chez moi pour étudier un dossier que j'ai rapporté du bureau. Si j'ai bien compris, ton travail avec ce... j'ai oublié son nom. Comment s'appelle-t-il déjà ?

— McMillan.

— Ton travail avec lui risque de se poursuivre encore une bonne partie de la nuit.

La rancœur perçait sous la banalité des mots. Sheryl se sentit coupable. Pourtant, elle ne pouvait repousser le doute qui s'insinuait dans son esprit, et les questions qu'elle se posait étaient de plus en plus précises : aimait-elle Brian avec assez de passion pour passer le reste de la vie avec lui ? Ne s'était-elle pas trompée sur la nature de ses sentiments ? Le confort et la sécurité pouvaient-ils représenter la base d'un mariage réussi ?

Le baiser brûlant de Harry lui avait démontré ce qu'était le désir charnel, et cet ouragan aux suites dévastatrices avait ébranlé toutes ses certitudes.

— Brian, je ne voudrais pas...

Il mit un doigt sur sa bouche et l'empêcha de continuer.

— Nous parlerons sérieusement plus tard, dit-il.

Malheureuse, elle l'accompagna jusque dans le hall de l'immeuble.

Il remarqua d'un ton neutre :

— Tu avais promis à Elise d'aller avec elle, demain soir, choisir le couffin du bébé. Si tu ne peux pas te libérer, préviens-la.

— Oui... A moins que tu ne l'accompagnes à ma place ?

— Volontiers, si cela peut te rendre service. Et pense aussi à appeler ta mère à Las Cruces. Tu sais qu'elle attend ton coup de fil.

Sheryl sourit. Sa mère, Joan Hancock, tenait une boutique d'antiquités au sud du Nouveau-Mexique, presque à la frontière du Texas. Elle aimait beaucoup son futur gendre qui le lui rendait bien. Ce cher Brian n'oubliait jamais rien, ni un rendez-vous, ni un appel téléphonique. Elle sentit de nouveau le remords envahir son cœur, et dans un geste spontané, elle se serra contre lui.

Il lui releva la tête et l'embrassa doucement sur les lèvres.

— Bye, bye, chérie !

— A bientôt, Brian !

En apercevant le couple dans le hall éclairé de l'immeuble, Harry se recula, loin des lampadaires, sous les arbres qui bordaient la résidence.

Pour calmer les démons de son corps, il avait besoin de se persuader que la jeune femme était vraiment amoureuse de l'agent immobilier. Quand il les vit échanger un baiser, ce fut comme s'il arrachait définitivement tout espoir de son cœur.

Sheryl redevint pour lui ce qu'elle n'aurait jamais dû cesser d'être depuis le début : une banale auxiliaire qui avait rejoint provisoirement son équipe.

Rien de plus.

Pourtant, il dut faire un effort surhumain pour résister à la tentation de lâcher Puppy qui ne demandait qu'à se ruer sur l'homme que Sheryl était en train d'embrasser...

6.

Le lendemain matin, Sheryl arriva au quartier général des fédéraux avec cinquante minutes de retard sur l'heure fixée par McMillan, et entra dans la salle de conférences alors que l'agent spécial et son équipe étaient déjà au travail.

— Mais qu'est-ce que vous fabriquiez ? dit McMillan d'un ton contrarié. J'avais peur qu'il vous soit arrivé quelque chose. J'ai même failli envoyer une voiture de patrouille chez vous.

— Puppy a déclenché votre système de protection en sautant sur la porte d'entrée et j'ai mis plus d'une demi-heure avant de trouver comment neutraliser les capteurs électroniques qui bloquent les nouvelles serrures.

Elle s'attendait à ce que Harry fasse une remarque désagréable, mais il se contenta de bougonner un vague reproche.

— Vous auriez dû m'appeler.

Il la dévisagea avec une telle intensité qu'elle se sentit devenir rouge comme une pivoine.

La journée commençait mal et elle n'avait qu'à s'en prendre à elle-même : rien n'allait jamais bien après une nuit blanche.

La veille, après le départ de Harry et de l'équipe de sécurité, elle s'était couchée tout de suite sans réussir à s'endormir, et s'était tournée et retournée dans son lit jusqu'au matin.

Les questions tournaient dans sa tête, frôlant l'obsession. Qu'est-ce qui se passait entre Brian et elle ? Pourquoi cette belle histoire, qui durait depuis près d'un an, était-elle en train de tourner si mal ? Bien sûr, ses relations avec Brian étaient parfois trop calmes, mais avant le fameux baiser de Harry, elle s'en accommodait très bien et appréciait plutôt cette sécurité qui lui avait tellement manqué autrefois.

Pour ajouter à sa nervosité, toute la nuit, Puppy n'avait pas cessé de l'importuner. Elle lui avait d'abord interdit de partager son lit. Mais une fois de plus, il avait réussi à imposer sa volonté et était venu se nicher sur ses pieds. Chaque fois qu'elle bougeait, elle l'entendait grogner de mécontentement parce qu'elle l'avait réveillé.

Levée aux aurores, elle avait d'abord mis en route la machine à laver. Après un rapide ménage et un petit déjeuner avalé à la hâte, elle s'était douchée, puis avait enfilé un chemisier de coton rouge sans manches, et un pantalon de toile blanche. Elle serait arrivée à l'heure au rendez-vous, si elle n'avait pas eu ce problème avec le système de sécurité !

Avant de toucher à la porte, l'utilisateur devait en effet débrancher les circuits, sinon les serrures se verrouillaient électroniquement. Elle le savait pour avoir étudié la notice, mais les chiens ne savent pas lire et Puppy ne s'était pas posé ce genre de question quand il avait voulu lui faire comprendre qu'il avait besoin de sortir...

Pour se faire pardonner son retard, Sheryl voulut se montrer aimable avec les policiers réunis autour de la table. Elle demanda à Fay Chandler, très stricte dans son uniforme beige si, la veille, elle avait passé une bonne soirée.

Sans le savoir, Sheryl venait de toucher un point sensible.

— Ne m'en parlez pas ! Une vraie catastrophe ! Les garçons ont regardé un match de base-ball à la télé, et leur équipe préférée s'est fait battre. Ils étaient si tristes que, pour leur remonter le moral, je les ai emmenés manger une pizza. En mon absence, mon mari qui gardait le petit dernier a voulu faire une lessive, il a mal fermé la porte de la machine et toute l'eau a inondé la cuisine. Nous avons passé une partie de la nuit à éponger.

A l'autre bout de la table, la tête d'Evan Sloan apparut derrière un monceau de papiers. Sheryl l'interpella joyeusement :

— Votre recherche sur l'ordinateur a bien marché? demanda-t-elle.

Le visage rond d'Evan émergea du tas de paperasses.

— Vous parlez si elle a marché ! C'est un désastre, oui. La machine a craché des centaines d'interprétations, regardez plutôt !

Il montra par terre, contre un mur, des piles de feuilles sorties de l'imprimante, soigneusement pliées en accordéon.

Les yeux de Sheryl s'élargirent.

— Grands dieux ! Ne me dites pas que nous allons devoir déchiffrer tout ça !

— Bien sûr que si, et cela va nous prendre au moins jusqu'à Noël.

— Vous plaisantez, j'espère, intervint McMillan. J'ai besoin de ce code dans les plus brefs délais. Sinon le juge va libérer Inga Gunderson, la marchandise sera livrée aux terroristes et le bandit que je poursuis me filera une fois de plus entre les doigts.

— A mon avis, dit Fay, cette femme s'est servie de son avocat pour faire passer un message à ses complices, et c'est pour cela qu'on a crevé les pneus de Mlle Hancock.

— Je ne suis pas d'accord, dit Evan. Maître Ortega est un avocat loyal. Je le connais parce qu'il a souvent plaidé dans la région. Il fait son boulot avec honnêteté. C'est vrai qu'il défend des criminels, mais il respecte toujours la loi.

— Inga Gunderson a pu se servir de lui sans qu'il s'en rende compte, dit Fay. Elle est rusée et je suis persuadée qu'elle continue de communiquer avec le gang par un code secret.

— Je peux vous garantir qu'à part Ortega, elle n'a reçu aucune visite, affirma Evan. Ses conversations ont été systématiquement enregistrées et je n'ai rien remarqué d'anormal.

Il déplia une autre pile de listings et se replongea dans son travail. McMillan, soucieux, réfléchissait.

Sheryl le regarda. Il n'avait pas dû beaucoup dormir, lui non plus, car des petites rides s'étaient creusées au coin de ses yeux et aux commissures de ses lèvres. Il recoiffait d'une main impatiente son épaisse chevelure brune.

— Je suis sûr que, parmi toutes les cartes, c'est celle de Rio la plus importante, dit-il d'un ton soucieux. A mon avis, elle signale l'arrivée de la marchandise...

Il se tourna vers Fay :

— Sergent Chandler, en répertoriant sur la carte les aérodromes privés à cinq cents kilomètres à la ronde, vous avez fait un excellent travail. A présent, vous allez vous rendre en hélicoptère dans chacune de ces bases pour parler aux responsables des tours de contrôle. Demandez-leur de me signaler les plans de vol venant d'Amérique du Sud et plus particulièrement du Brésil. Nos grands aéroports sont déjà prévenus, mais je doute que Richard Johnson prenne le risque d'atterrir sur l'un d'entre eux. Ils sont trop bien surveillés. Il va plutôt choisir une piste dans le désert, suffisamment longue pour permettre à un avion-cargo d'atterrir. Repérez les pistes qui répondent à ces deux critères.

— A vos ordres, monsieur, dit Fay en se recoiffant de son Stetson.

Harry fit signe à Sheryl de s'asseoir en face de lui.

— Est-ce qu'il y a eu d'autres cartes suspectes avant celles de Rio, Venise, Antibes, Prague et Pampelune?

Il posa la question d'un ton bref, tranchant. Son regard était distant. Sheryl se demanda s'il se souvenait du baiser qu'il lui avait donné la veille au soir.

« Apparemment, il a oublié, se dit-elle, et c'est beaucoup mieux ainsi. »

***

Ils travaillèrent pendant plusieurs heures. Harry prenait des notes. Sheryl répondait avec une telle précision à ses questions qu'à l'autre bout de la table, Evan finit par s'étonner.

— Comment faites-vous pour vous rappeler la date et l'origine de tous ces cachets, alors qu'il en défile des centaines chaque jour, sous vos yeux ?

— Les employés du tri ont une mémoire exceptionnelle, expliqua-t-elle. Heureusement, car le courrier arrive en vrac au centre et nous avons très peu de temps pour le répartir dans les boîtes postales et les casiers avant que les facteurs ne le prennent pour le distribuer aux destinataires.

— Je croyais que le tri était automatisé.

— Il l'est dans la plupart des centres, mais l'annexe où je travaille n'est pas encore équipée. Le pire c'est que les gens sont incroyablement négligents. Si vous voyiez à quel point certaines adresses sont incomplètes ! A force de les corriger, je crois que je pourrais vous réciter de mémoire le code de la plupart des villes des Etats-Unis...

— Inutile ! coupa Harry qui s'impatientait. Le seul code qui m'intéresse est celui qu'utilise Johnson...

La sonnerie du téléphone l'interrompit. Il décrocha le combiné, écouta et, souriant pour la première fois de la journée, brancha le haut-parleur pour que ses deux collaborateurs entendent la conversation. Mais le rapport était codé et Sheryl ne retint que le mot de Prague.

Evan, lui, avait su déchiffrer le message : son visage avait la même expression satisfaite que celui de l'agent fédéral.

— Que se passe-t-il ? demanda Sheryl dès que McMillan eut raccroché.

— Je viens de recevoir le rapport confidentiel de la CIA. Les douanes tchèques ont intercepté, aux environs de Prague, un camion transportant une petite quantité d'uranium brut. Le chargement venait d'Espagne et avait transité par la France et l'Italie. Le chauffeur croyait que c'était du minerai de plomb. Nous avons donc la preuve que les précédentes cartes postales indiquaient la route empruntée pour le trafic.

— A qui était destiné le chargement? demanda Sheryl.

— A une fabrique de munitions de chasse, mais ce n'est pas mon problème. Que la CIA et Interpol se chargent de démanteler les réseaux de terroristes à travers le monde, moi, je veux seulement coincer ce salaud de Johnson.

— S'il a déjà livré la marchandise, objecta Sheryl, il va vous échapper une fois de plus.

— Ce que les douaniers ont saisi ne représente même pas le quart de ce qui a été volé. Johnson en réserve la plus grosse partie à ses complices américains. A nous de deviner où et quand il la leur livrera.

— Mlle Hancock vous a rendu un fameux service, remarqua Evan, admiratif.

— C'est sûrement grâce à elle que nous sommes si près du but, reconnut Harry.

Sheryl sourit modestement. Elle avait du mal à croire que son humble participation ait eu un rapport quelconque avec les résultats obtenus dans l'enquête.

— Vous avez fait du bon travail, Sheryl. Je suis fier de vous.

Une petite lueur s'alluma dans ses yeux tandis qu'il la caressait du regard; Sheryl sentit courir sur sa peau un frisson de plaisir. Ainsi, il n'avait rien oublié! En un instant, la salle lui sembla moins austère et une sensation de bien-être l'envahit.

Hélas, l'arrivée du shérif d'Albuquerque la fit redescendre brutalement sur terre. C'était un géant blond aux yeux gris acier, très apprécié par la population de la ville qui le réélisait tous les deux ans à la tête de la police du comté. Il avait deux nouvelles à leur communiquer.

Il annonça d'abord à Sheryl que l'homme qui avait crevé les pneus de sa Toyota n'avait pas été retrouvé. Puis il prévint McMillan que le juge avait décidé de mettre Inga Gunderson en détention provisoire. Son agressivité à l'égard du sergent Sloan, deux jours plus tôt, lui avait fourni le motif : coups et insultes à un agent de la force publique.

Si cette information combla d'aise le policier, en revanche, elle navra la jeune femme.

— Ce qui arrange les uns, ennuie les autres, remarqua Sheryl, assombrie. Si Mme Gunderson reste en prison, je vais devoir garder son chien chez moi.

— Il y a toujours la fourrière, lui rappela Harry.

Comme elle ne répondait pas, Evan prit la parole :

— A propos du chien, je trouve que sa maîtresse en rajoute vraiment. Figurez-vous qu'en discutant avec son avocat, elle lui a demandé de ses nouvelles à plusieurs reprises, comme s'il s'agissait de son plus précieux trésor.

Une lueur d'intérêt s'alluma dans les yeux gris du shérif.

— J'ai bien envie d'aller regarder de plus près cet animal. Dites-moi, sergent, vous m'avez bien dit que lors de votre perquisition, vous l'aviez examiné soigneusement ?

— J'ai seulement défait son collier, et écarté quelques-uns de ses poils en essayant de préserver mes dix doigts, répondit Evan. Mais M. McMillan, lui, l'a tenu un bon moment sous son bras, s'il y avait eu quelque chose de suspect, il l'aurait sûrement remarqué.

Harry haussa les épaules.

— Je ne vois pas où on aurait pu dissimuler un message sur ce roquet. A moins qu'on ait implanté une puce électronique sous sa peau. C'est une hypothèse à envisager.

Le shérif, prenant au sérieux la remarque de Harry, demanda aussitôt à la jeune femme de lui confier ses clés et le code de l'alarme qui protégeait son appartement.

— Je vais envoyer une voiture de police chez vous, mademoiselle Hancock. Mes agents prendront le chien et l'emmèneront chez un vétérinaire qui le passera aux rayons X.

Sheryl sortit son trousseau de son sac et, sans un mot, le tendit au shérif.

Pauvre Puppy ! pensa-t-elle. Et pauvre vétérinaire !

*
* *

A midi, Sheryl, Harry et le sergent Sloan mangèrent des sandwichs sur place. Puis ils travaillèrent de longues heures sans s'arrêter. Les listings ne fournissaient aucune réponse cohérente. Evan suggéra que, peut-être, certaines cartes postales, comme celle de la Barbade, n'étaient que des leurres destinés à brouiller les pistes. Dans ce cas, en les programmant avec les autres, il avait faussé les réponses de l'ordinateur, exactement comme un virus l'aurait fait.

Sheryl à son tour fit une suggestion :

— Et si le prétendu neveu communiquait avec Mme Gunderson au moyen d'un code chiffré ? On devrait relever les codes postaux et les dates sur les cachets. L'ensemble forme peut-être une grille décryptable par l'ordinateur.

— Essayons, dit Harry avec découragement.

A 16 heures, un des brigadiers du poste de police rapporta à Sheryl les clés de son appartement. Le vétérinaire n'avait rien découvert d'anormal sur le corps du Shih Tzu.

Une heure plus tard, Fay appela de Farmington, une ville au nord de l'Etat. L'aérodrome répondait parfaitement aux critères exigés. Non seulement les pistes, situées dans le désert, étaient suffisamment longues pour qu'un jet y atterrisse, mais la ville étant proche du Colorado, un camion pouvait rapidement passer la frontière et échapper à la police du Nouveau-Mexique.

McMillan appela le directeur de l'aérodrome et lui recommanda de se montrer particulièrement vigilant sur le déchargement des avions-cargos.

A 18 heures, alors qu'Evan travaillait trois étages plus bas avec les spécialistes en informatique, Harry s'adossa à sa chaise et referma son carnet de notes.

— Je vais descendre pour voir ce que les ordinateurs ont trouvé avec nos nouvelles données. Vous avez fourni un énorme travail, Sheryl, je vous remercie. Vous êtes à bout de forces et il est temps que vous alliez vous reposer. Dès demain matin, vous pourrez réintégrer vos fonctions à la poste et retrouver des horaires moins contraignants.

Elle approuva d'un signe de tête, puis jeta un regard autour d'elle. Après les deux jours passés ici, cette salle si banale, avec sa longue table encombrée et ses murs couverts de graphiques, lui semblait aussi familière que l'annexe postale de Monzana Street.

— Vous n'avez plus besoin de moi ?

Les yeux de Harry fixèrent avec intensité le visage creusé de fatigue.

— Non... si, se reprit-il d'un ton neutre. Appelez-moi si une nouvelle carte arrive...

Il lui sourit gentiment et ajouta en se levant :

— Je sais que, depuis deux jours, je vous ai demandé l'impossible. Mais votre collaboration nous a été très utile et je ne manquerai pas de le dire à vos supérieurs.

Sheryl se leva à son tour et passa la courroie de son sac sur son épaule.

— S'il vous plaît, Harry, prévenez-moi quand Mme Gunderson sera libérée, pour que je lui rende son Puppy. A votre avis, combien de temps va-t-elle rester en détention provisoire ?

— Dix ans si j'arrive à prouver sa complicité avec le gang.

Effondrée, Sheryl s'assit de nouveau.

— C'est impossible ! murmura-t-elle.

Harry éclata de rire et lui tendit la main pour l'aider à se relever.

— Un peu de courage, Sheryl ! Je vous reconduis jusqu'au parking.

Au sous-sol, il la prit amicalement par le bras et décida de l'accompagner jusqu'à sa voiture.

Tout en marchant, il se rendit compte qu'il ne pouvait pas croire que Sheryl allait disparaître à jamais de sa vie. Pourtant, ce n'était pas la première fois qu'il faisait appel à une auxiliaire provisoire et d'habitude, il se séparait sans état d'âme de ces collaboratrices d'un jour, dès qu'il avait obtenu d'elles le maximum de renseignements.

Mais cette fois, c'était différent. Il avait passé une partie de la nuit à revivre le baiser qu'ils avaient échangé la veille. La réserve apparente de la jeune femme cachait une ardeur passionnée qui l'avait surpris. Un fol espoir avait germé en lui quand il avait découvert que, loin de le repousser, elle s'abandonnait dans ses bras. Mais il avait dû se rendre à l'évidence quand Brian était arrivé. Ainsi le cœur de la jeune femme n'était pas libre et il était en train de s'aventurer sur un terrain occupé par un autre ! En toute autre occasion, il aurait cherché instinctivement à éliminer son rival. Mais ces deux-là se regardaient avec une tendresse si émouvante que, la rage au cœur, il avait renoncé à pousser plus loin ses avances.

Arrivée près de sa voiture, Sheryl désactiva l'alarme, ouvrit la portière et jeta son sac à l'intérieur. Une fois assise au volant, elle dégrafa son badge et le tendit à McMillan.

— Dommage ! dit-elle en souriant. Je commençais à prendre un certain plaisir à me torturer les méninges. Au revoir, Harry.

Il retint quelques instants la main de la jeune femme dans la sienne.

— Merci encore, Sheryl.

Il se recula et regarda la voiture rouler vers la rampe de sortie.

Avant d'aller rejoindre Evan, il sortit son portable et appela le shérif pour lui demander de faire surveiller l'appartement de la jeune femme et l'annexe postale de Monzana Street.

Harry rentra tard à son motel. Les recherches sur ordinateur étaient restées stériles. La combinaison de chiffres n'avait rien donné. Pourtant, un sixième sens l'avertissait qu'il approchait du but. Pampelune, Antibes, Venise, Prague, Rio... Il était sûr que la plus grosse partie de la marchandise, volée au Canada, n'avait pas quitté le Nouveau Continent. Seuls, quelques containers avaient traversé l'océan. Le reste du minerai, environ deux tonnes, avait dû être embarqué à destination de l'Amérique du Sud, jusqu'au port de Rio, probablement par mer et en restant au large afin d'échapper aux radars des garde-côtes. Le navire n'avait pu faire escale à la Barbade. Entourée de récifs, l'île ne possédait ni anse ni port, à l'exception d'un minuscule carénage pour plaisanciers.

La carte de la Barbade était probablement un leurre, comme l'avait suggéré Evan.

Demain, il se plongerait de nouveau dans l'étude des données fournies par Sheryl, et comme la présence de la jeune femme ne viendrait plus troubler sa concentration, il était sûr de trouver enfin la solution de l'énigme.

Il prit une douche, se coucha et tenta de faire le vide dans son esprit. En vain. Ce n'était pas son travail d'investigateur qui l'empêchait de dormir, mais un souvenir aussi lancinant qu'un mal de dent. La silhouette envoûtante de Sheryl ne lui laissait pas de repos. Sans cesse revenait devant ses yeux l'image obsédante de son décolleté laissant entrevoir la naissance de ses seins. Sa main se tendait alors pour une caresse insatisfaite qui soulevait en lui des vagues de désir douloureux.

Quand il se leva le lendemain matin, il n'avait pas fermé l'œil de la nuit et se demanda comment il pourrait affronter une nouvelle journée de travail.

Une heure plus tard, il retrouva Evan et Fay dans la salle de conférences.

Alors qu'ils étaient en train d'étudier une nouvelle combinaison de chiffres, le téléphone sonna.

Harry décrocha d'un geste impatient.

— Oui ? McMillan à l'appareil.

— Ici, Lawrence, le shérif adjoint. C'est vous qui avez

demandé une surveillance à l'agence postale de Monzana Street ?

— Oui. Qu'est-ce qui se passe ? s'inquiéta Harry.

— Un de mes hommes vient de me signaler qu'une ambulance a été envoyée là-bas de toute d'urgence.

— Pour quelle raison ?

— Je l'ignore. Je tenais juste à vous prévenir. Il paraît qu'ils ont emmené une blessée.

— Où ? hurla Harry.

— Au Centre Hospitalier Universitaire.

— Merci, shérif !

Harry raccrocha, saisit sa veste en lançant une brève explication à ses collaborateurs et quitta la salle en courant.

A 7 h 30, ce même matin, Sheryl avait téléphoné au receveur de l'annexe pour l'avertir qu'elle reprenait sa place au guichet. Pat avait été ravi de l'apprendre.

Comme elle était en avance, elle décida de s'arrêter en chemin pour acheter des croquettes à Puppy. Ensuite, sans se presser, elle prit la direction de Monzana Street et se gara sur le parking des employés.

C'est en pénétrant dans le bâtiment qu'elle remarqua quelque chose d'anormal. Un brouhaha de conversations inhabituel l'intrigua. Généralement, à 9 heures moins cinq, le silence régnait dans les locaux de la poste. Une fois le tri du matin terminé, tous les employés étaient installés à leurs postes respectifs. Or, elle eut l'impression en pénétrant dans le bâtiment que tout le personnel était réuni dans le bureau du receveur.

Elle ne s'était pas trompée. La pièce était pleine à craquer. Tout le monde parlait en même temps, l'air catastrophé. Le téléphone collé à l'oreille, Pat Martinez était en train de marcher de long en large devant l'effectif de l'annexe au grand complet.

— Rappelez-moi plus tard, monsieur Mitchell.

— Brian? s'étonna Sheryl. Vous étiez en ligne avec Brian?

— Ah, Sheryl, vous voilà enfin! Elise a fait une chute dans l'escalier de la salle de tri. Elle est en train d'accoucher et...

— Oh, non!

Le cœur de Sheryl se serra. Le bébé d'Elise ne devait naître que dans trois semaines.

Pat poursuivait :

— Je n'arrivais pas à vous joindre, alors j'ai appelé votre futur fiancé pour lui demander s'il savait où vous étiez. Il m'a répondu qu'il l'ignorait et il s'est rendu immédiatement au chevet d'Elise. Je crois que vous devriez y aller vous aussi. Votre amie semble vraiment très mal en point.

Le centre hospitalier était situé à l'autre bout de la ville et Sheryl mit près de trois quarts d'heure à l'atteindre.

Lorsqu'elle aperçut enfin les hauts bâtiments en brique rouge, elle appuya sur l'accélérateur et entra en trombe dans le parking privé du corps médical. Sans scrupules, elle gara sa Toyota sur un emplacement réservé, puis elle courut en direction de la maternité.

Elle connaissait le chemin par cœur pour avoir accompagné maintes fois son amie à la consultation d'obstétrique.

Le bébé avait été conçu au cours d'une tentative orageuse de réconciliation entre Elise et Rick. Mais les éternelles disputes avaient fini par avoir raison de leur couple et ils avaient quand même divorcé. Rick maintenant vivait dans l'est du pays sans jamais se préoccuper de son ex-femme ni de ses deux garçons.

Dans l'ascenseur qui l'emportait vers la salle de travail, Sheryl ne tenait pas en place. Folle d'angoisse, elle ne pouvait s'empêcher d'en vouloir à Elise de son étourderie. Combien de fois lui avait-elle conseillé de regarder où elle mettait les pieds? Elise, malgré ses deux fils, était insouciante comme une gamine.

Elle sortit en trombe de l'ascenseur et courut jusqu'au bureau des infirmières.

— Comment va Mme Hart ? Où est-elle ?

Une grande femme en blouse blanche l'arrêta d'une main apaisante.

— Allons, allons, du calme ! Reprenez votre respiration. Mme Hart nous a fait très peur, mais on a pu arrêter l'hémorragie et le travail à présent se déroule à peu près normalement.

— Une hémorragie ? Oh, mon Dieu ! Où est-elle ? je veux la voir !

— Elle ne peut pas recevoir de visite en ce moment, répondit l'infirmière d'un ton catégorique. Son mari est auprès d'elle et elle n'a besoin de personne d'autre.

— Rick est ici ? s'exclama Sheryl.

— Il a dit qu'il s'appelait Brian.

Sheryl se retint à temps de rectifier l'erreur. Le règlement voulait que seul le mari, ou un membre de la famille, assiste à l'accouchement. Brian qui aimait bien Elise avait menti pour rester auprès d'elle.

— Rick est un second prénom, dit Sheryl. J'aimerais tout de même voir Elise. Où puis-je aller ?

— Je ne peux pas vous laisser entrer dans la salle de travail. Allez attendre dans le salon là-bas.

A contrecœur, Sheryl se rendit dans la pièce réservée aux familles. Elle s'assit sur un siège en plastique près d'une table basse couverte de magazines. Plusieurs portes donnaient sur des salles de travail et l'une d'entre elles était fermée. Incapable de rester en place, la jeune femme se leva et s'en approcha. Elle entendit un hurlement de douleur et sentit ses cheveux se dresser sur sa tête.

Ouvrant la porte avec précaution, elle jeta un coup d'œil dans la pièce. Près de la table d'accouchement, un médecin et son assistante vêtus de blouses vertes guettaient l'arrivée du bébé. Un homme, en blouse lui aussi, un calot sur la tête et un masque sur le visage, était penché au chevet d'Elise.

— Poussez, Elise, disait-il, la main de la jeune femme dans la sienne... C'est bien... Respirez à fond puis poussez...

Sheryl reconnut la voix de Brian.

— Non, je... je ne peux plus, supplia Elise.

— Mais si, vous le pouvez. Je suis avec vous, Elise. Allez, du courage ! Poussez encore !

Elise hurla. Emportée par son effort, elle souleva le buste avant de retomber en gémissant :

— Je hais Rick... je hais tous les hommes.

Surpris par la violence de son ton, Brian la lâcha. Elise allongea le bras, lui attrapa la main et l'attira de nouveau près d'elle.

— Pas vous, Brian... Oh, non, vous, je... je vous aime bien. Ne m'abandonnez pas. Vous... vous êtes mon meilleur ami.

Un nouveau hurlement lui échappa. Brian lui caressa le visage et ordonna :

— Encore un effort, Elise, respirez et poussez !

La gorge nouée, Sheryl suivait la scène par l'entrebâillement de la porte. Elise était son amie d'enfance. Elle avait été sa confidente du temps de son mariage tumultueux, elle l'avait aidée à surmonter l'épreuve de son divorce, et elle aurait aimé être auprès d'elle aujourd'hui encore, mais elle devait reconnaître que Brian faisait cela très bien. Elle était même étonnée de la relation qu'elle sentait naître entre eux...

— La tête arrive, annonça calmement l'obstétricien. Poussez de toutes vos forces et les épaules vont suivre. Prête ? Allez-y, poussez !

Sheryl eut l'impression que c'était son propre ventre qui se contractait douloureusement.

Un dernier cri retentit puis le médecin s'exclama joyeusement :

— Et voilà ! C'est un magnifique garçon.

— Il ressemble à son papa, ajouta son assistante.

Sheryl pensa qu'à chaque naissance elle devait dire la

même chose. Brian se pencha sur le visage d'Elise et l'embrassa au moment où le bébé lançait son premier cri.

Epuisée par l'effort, Elise trouva la force de s'accrocher à la blouse de Brian, puis son bras retomba.

— Ce n'est pas tout à fait fini, dit le médecin. Il vous reste encore un petit travail à accomplir, madame.

Il se tourna vers Brian :

— Je vais vous demander de sortir quelques minutes, monsieur. Vous pourrez retrouver votre femme et votre fils quand tout sera terminé.

Brian se pencha de nouveau sur Elise. Il y avait tant d'affection et d'admiration dans son regard que Sheryl en resta sidérée. Jamais Brian ne l'avait regardée avec autant d'émerveillement. Elle ressentit plus de tristesse que de jalousie. C'était comme si, brusquement, elle ouvrait les yeux. Elle aimait Brian, de tout son cœur mais sans passion, juste comme un camarade sur qui elle pouvait compter en toute occasion... surtout pour la remplacer au chevet de sa meilleure amie.

Elle referma doucement la porte et, en reculant, heurta quelqu'un debout derrière elle. Elle se retourna brusquement pour se retrouver nez à nez avec McMillan.

— Vous ? s'exclama-t-elle. Mais que faites-vous ici ?

Il l'entraîna vers un siège et la fit asseoir.

— J'ai appris qu'une employée de la poste avait été transportée d'urgence à l'hôpital, dit-il. Aussitôt, j'ai foncé vers le C.H.U. et à l'accueil, on m'a dirigé vers ce service. J'ai d'abord été surpris... puis rassuré...

Il hésita quelques secondes et avoua :

— J'ai cru que vous aviez été agressée, blessée...

— Par celui qui a tailladé mes pneus ?

— Peut-être. Puis je me suis souvenu que votre amie attendait un bébé et j'ai décidé de monter aux nouvelles. Comment va-t-elle ?

— Elle va bien, maintenant. L'enfant aussi, c'est un garçon.

Réconfortée par la présence de Harry, elle sourit, mais il restait sombre.

— L'infirmière m'a dit que le mari de votre amie était auprès d'elle. D'après ce que j'ai pu voir par-dessus votre épaule, il avait l'air drôlement fier.

— Le père habite New York. C'est Brian que vous avez vu près d'Elise.

— Brian ? Votre Brian ?

Sheryl sentit une pointe de réprobation dans sa voix et son cœur se serra. « Non, se dit-elle, ce n'est pas *mon* Brian qui était auprès d'Elise. En tout cas pas celui que je croyais si bien connaître. » Elle préféra garder pour elle ses impressions et ne répondit pas. C'était une affaire entre elle et Brian, et elle en discuterait plus tard avec lui.

L'assistante sortit de la salle de travail à ce moment-là. Sheryl se leva vivement et demanda des nouvelles de son amie et du bébé. L'infirmière sourit.

— Ils vont bien tous les deux et le papa est tellement fier, qu'il refuse... Tenez, le voilà justement, je vous laisse.

Elle les quitta alors que Brian pénétrait à son tour dans la salle d'attente. Il enleva son masque et sa toque et commençait à déboutonner sa blouse lorsqu'il remarqua la présence de Sheryl, debout au milieu de la pièce.

Sans pouvoir cacher son enthousiasme, il s'exclama :

— Oh, Sheryl, quel dommage que tu n'aies pas été là ! Rien n'est plus beau qu'une naissance. Le bébé est magnifique et Elise a été extraordinairement courageuse. Mais elle s'inquiète pour ses deux aînés et je lui ai promis de m'en occuper...

Il s'aperçut alors que Sheryl n'était pas seule.

— Tiens, vous êtes là, vous ? dit-il d'un ton distrait en regardant Harry. C'est gentil d'avoir accompagné Sheryl.

Visiblement, il était impatient de retrouver Elise.

— Excusez-moi, dit-il brusquement. Je vous laisse, je retourne au chevet de la maman.

Il quitta la pièce, et Sheryl lança à Harry un regard embarrassé.

Rompant le silence, Harry remarqua :
— Il est méconnaissable. Je me demande même si c'est bien le même homme que celui que j'ai croisé chez vous avant-hier soir.
Sheryl ne put retenir un soupir.
— Non, admit-elle, ce n'est plus le même homme... Merci d'avoir interrompu votre travail pour moi, Harry.
Il lui sourit enfin, et elle se sentit fondre tandis qu'il l'enveloppait du regard :
— Je n'ai plus rien à faire ici, Sheryl. Félicitez Elise pour moi.
Il fit un pas en avant et elle crut qu'il allait la prendre dans ses bras. Mais il se contenta de lui serrer la main qu'elle lui tendait en marmonnant « au revoir ».
Il quitta la salle sans se retourner, et Sheryl eut soudain l'impression qu'elle était seule au monde...

Elle passa la matinée à l'hôpital, près d'Elise qui avait été installée dans une chambre confortable. Brian était resté un moment avec elles puis il avait dû à regret les quitter pour retourner à son agence immobilière.
Elise ne tarissait pas d'éloges sur lui.
— Heureusement qu'il était là, si tu savais. Je ne sais pas ce que j'aurais fait sans lui... C'est l'être le plus gentil, le plus attentionné, le plus drôle et le plus spontané que j'aie jamais rencontré. Quelle chance tu as, Sheryl !
« Attentionné et gentil, d'accord, pensait Sheryl, mais c'est bien la première fois que j'entends quelqu'un dire de Brian qu'il est drôle et spontané ! » En ce qui la concernait, en tout cas, elle l'avait toujours trouvé plus pontifiant que drôle et plus routinier que spontané.
Une infirmière entra avec le bébé. Elle le déposa dans les bras de sa mère et Elise se mit à caresser tendrement le duvet roux qui recouvrait la tête du nouveau-né.
— Je voulais le prénommer Terence comme mon grand-

père, dit-elle, pensive, mais si tu n'y vois pas d'inconvénient, je vais l'appeler Brian...

Sheryl n'y voyait aucun inconvénient. L'esprit ailleurs, elle acquiesça.

Elle passa l'après-midi avec Elise, occupée surtout à recevoir les visiteurs et à arranger dans des vases les nombreux bouquets envoyés par les amis de la jeune femme.

Lorsque Brian revint, il affichait un tel bonheur qu'on aurait juré qu'il était lui-même le père du bébé.

Sheryl l'observait, mi-figue, mi-raisin en se disant qu'il serait grand temps qu'elle ait une discussion sérieuse avec lui. Quittant brusquement la chambre elle se glissa à l'extérieur à la recherche d'un distributeur de boissons.

Un gobelet de Coca à la main, elle alla au bout du couloir et regarda par la fenêtre le va-et-vient des voitures cinq étages plus bas.

— Sheryl ?

Elle se retourna et se retrouva en face de Brian, impeccable dans son costume gris clair, chemise blanche et cravate club, soigneusement nouée.

— J'ai besoin de te parler, dit-il d'un ton grave.

— Ça tombe bien, moi aussi.

— Surtout ne prends pas mal ce que je vais te dire. Mon affection pour toi reste intacte, mais...

Il s'interrompit. Son « mais » résumait parfaitement ce que la jeune femme avait deviné depuis le matin.

Pendant près d'un an, ils avaient partagé un bonheur tranquille. Jusqu'à ce qu'un double événement vienne troubler leur quiétude et qu'ils se rendent compte tous les deux en même temps qu'ils s'étaient trompés. Les feux de l'amour les avaient embrasés à l'instant où ils s'y attendaient le moins. L'apparition d'un séduisant agent secret et le miracle d'une naissance venaient à leur insu de changer leur vie.

— J'ai compris, dit-elle doucement.

— C'est difficile à expliquer. Ce matin, auprès d'Elise, j'ai réalisé ce qu'était vraiment le mariage : la réunion de deux êtres dans le bonheur comme dans la souffrance. Je t'aime toujours, Sheryl, mais peut-être pas assez pour... Oh, bon Dieu, je voudrais tellement éviter de te faire de la peine !

Brian se tut et mit sa tête dans ses mains.

— C'est Elise que tu veux épouser ?

Sheryl s'était fait violence pour parler d'un ton froid, distant. Elle ne voulait pas montrer son désarroi à Brian.

Il respira à fond, prit sa main et la serra à la broyer.

— Je crois, oui, murmura-t-il, mais je n'en suis pas encore certain.

Elle le regarda avec une tendresse teintée de commisération. Elle ne voulait pas lui laisser porter seul la responsabilité de leur rupture.

— Rassure-toi, j'ai réfléchi moi aussi. Je t'aime bien, Brian, mais sûrement pas assez pour m'accrocher désespérément à ta main pendant que je mettrai mon enfant au monde.

7.

Epuisée par la fatigue et les émotions, Sheryl rentra chez elle à la tombée de la nuit. Elle avait l'impression que tout se désagrégeait autour d'elle et qu'il lui faudrait, dorénavant, continuer à vivre sans espoir et sans but.

Elle se déshabilla et jeta ses vêtements dans le panier à linge que Puppy, exceptionnellement, n'avait pas exploré. Puis elle prit une douche et enfila ce qui lui tomba sous la main : un vieux short effrangé et un T-shirt blanc. Elle brossa ensuite ses cheveux et les réunit en queue-de-cheval.

Après avoir essayé en vain de déloger Puppy de son lit, elle s'allongea, le visage dans l'oreiller, et se mit à sangloter.

Un regret l'obsédait, ajoutant à sa détresse. Non seulement ses relations avec Elise et Brian ne seraient plus jamais comme avant, mais elle éprouvait un sentiment de vide immense à l'idée que son travail avec Harry était terminé. Elle pensa aux trois journées merveilleuses qu'elle venait de passer — à Evan et Fay, à Harry, sérieux et concentré sur son travail d'enquêteur. Ses larmes redoublèrent : le FBI n'avait plus besoin d'elle. Il fallait se rendre à l'évidence et reléguer au rang de souvenirs les moments exaltants qu'elle venait de vivre...

Un coup de sonnette la tira de son accablement. Elle se redressa en essuyant ses larmes d'un revers de main, et, précédée de Puppy qui avait déjà sauté du lit et courait dans le couloir en aboyant, se hâta d'arriver à la porte avant qu'il ne déclenche, une fois de plus, le verrouillage électronique.

— C'est moi, cria derrière le battant la voix familière de Harry.

Sheryl débrancha l'alarme, ordonna au chien de se taire et ouvrit la porte.

Reconnaissant son ennemi, Puppy aboya de plus belle. Mais Harry était venu avec des munitions. Après avoir adressé un sourire malicieux à Sheryl, il se baissa et passa sous le museau du chien une grande boîte en carton.

— Flaire-moi ça, et dis-moi si tu aimes les pizzas.

A la grande surprise de Sheryl, les aboiements du chien cessèrent instantanément. Puppy renifla ce qu'il avait devant lui, puis se dressant sur ses pattes arrière, il se mit à danser comiquement en remuant la queue.

Sheryl éclata de rire. Sa fatigue et son chagrin s'étaient dissipés comme par enchantement.

Harry affichait un petit sourire supérieur.

— On peut tout acheter, remarqua-t-il, même les roquets hirsutes. Il suffit d'y mettre le prix.

Sheryl le regarda, moqueuse.

— Etes-vous seulement venu pour corrompre Puppy et vous attirer ses bonnes grâces ?

— C'est déjà bien, non ? riposta-t-il d'un ton léger.

Suivi de Sheryl et du chien, il se dirigea vers le living et déposa le carton sur la table de la salle à manger.

— J'ai acheté deux pizzas. Une classique, aux anchois, tomates, olives et champignons, une autre, aux fruits de mer. Après les émotions de cette journée, j'ai pensé que vous auriez besoin d'un remontant.

Son sourire et la chaleur de sa voix agissaient sur Sheryl comme un vin capiteux. Après avoir cru toucher le fond du désespoir, elle flottait maintenant sur un petit nuage de bonheur et se sentait tout étourdie.

— Vous êtes très perspicace, remarqua-t-elle.

— Disons que mes instincts de flic m'aident beaucoup.

Ce n'est pas pour rien que j'ai choisi de travailler pour le Bureau Fédéral d'Investigation...

Il se tourna vers elle et passa un doigt caressant sur sa joue encore humide de larmes.

— Vous avez pleuré. Pourquoi ?

Elle haussa les épaules.

— Probablement par excès de fatigue, mentit-elle.

— Alors, asseyez-vous et laissez-moi tout préparer. Nous allons dîner rapidement et, ensuite, nous plancherons sur le mystère de ce foutu code que personne n'a su interpréter.

Il retira sa veste et la jeta négligemment dans un fauteuil. Ensuite, il partit s'affairer dans la cuisine, traînant à sa suite un Puppy soumis qui avait abdiqué toute fierté dans l'espoir de participer au festin.

Sheryl s'assit en soupirant. Ainsi, Harry était venu uniquement pour chercher de nouveaux renseignements. Mais après tout, tant pis ! Travailler de nouveau avec lui serait un excellent remède contre les soucis et les déceptions. Elle regrettait seulement qu'il ne l'eût pas prévenue. Elle aurait soigné sa tenue. Ce soir, Harry devrait se contenter d'une auxiliaire en vêtements usés, pieds nus, mal coiffée et sans maquillage.

Il revint, portant d'une main les assiettes et les couverts, et de l'autre, un grand plat contenant les pizzas découpées en plusieurs parts. Le négligé de son hôtesse ne semblait pas le gêner. Sheryl crut même lire une certaine admiration dans son regard.

Elle se leva pour mettre la table, pendant qu'il retournait dans la cuisine et revenait avec une bouteille de vin.

Il la déboucha, emplit les verres et leva le sien.

— Si nous portions un toast au bébé de votre amie ? proposa-t-il.

En souriant, elle choqua son verre contre celui de Harry.

Pendant quelques secondes, leurs yeux ne se quittèrent plus, puis le regard de Harry descendit le long de son cou et se fixa sur sa poitrine, libre sous le T-shirt, avant de se poser sur son ventre. Elle en sentait la caresse brûlante, et une flamme monta à ses pommettes.

Ils s'assirent. En face d'elle, Harry posa son verre aux trois quarts vide, servit deux parts de pizza dans l'assiette de Sheryl, se servit à son tour et demanda d'un ton désinvolte :

— Avez-vous enfin laissé tomber l'agent immobilier ?

Sheryl en suffoqua de surprise. Pendant qu'elle tentait d'avaler un morceau de pizza sans s'étrangler, Harry donnait au chien de grosses bouchées que celui-ci ingurgitait gloutonnement.

— Qu'est-ce qui vous fait croire que j'ai rompu avec Brian ? finit-elle par demander.

Il s'appuya tranquillement au dossier de sa chaise.

— Ce matin, à la maternité, j'ai observé votre visage lorsque Brian est retourné précipitamment au chevet de votre amie.

Un silence tomba entre eux, troublé seulement par le bruit que faisait Puppy en dévorant son morceau de pizza.

Sheryl aurait préféré ne pas épiloguer sur ce qui s'était passé entre Brian et elle. Dans la journée, pas un instant, elle n'avait pu se trouver seule avec Elise pour en discuter. Elle prévoyait aussi une pénible altercation avec sa mère qui adorait Brian. Joan Hancock avait répété cent fois à sa fille qu'un homme aussi sérieux ne se trouvait pas sous le sabot d'un cheval et qu'elle devait le couver comme un trésor...

Sous ses longs cils, Sheryl lança un bref regard à son voisin. Harry affichait une expression amicale qui incitait aux confidences. Après tout, pourquoi lui dissimulerait-elle la vérité ?

— Je n'ai pas laissé tomber Brian. C'est lui qui a pris l'initiative de rompre.

Les sourcils de Harry s'arrondirent.

— Quel prétexte a-t-il donné ?

— Il m'a expliqué que la naissance du bébé d'Elise

l'avait bouleversé au point de le faire réfléchir sur le sens profond du mariage. Un amour exceptionnel doit cimenter le couple qui veut s'unir. Cet amour-là, il n'était pas certain de l'éprouver pour moi.

Harry ricana.

— Et il lui aura fallu près d'un an avant d'arriver à cette brillante conclusion !

Il y avait un tel mépris dans sa voix que Sheryl ne put s'empêcher de sourire. Un homme comme McMillan n'était sûrement pas du genre à s'interroger aussi longtemps sur ses états d'âme. Son jugement était rapide, sinon sûr, ses déclarations irrévocables, et sa confiance en lui, inébranlable.

— Ne critiquez pas aussi durement Brian, dit-elle. A moi aussi, il m'a fallu tout ce temps avant de découvrir que je me faisais une idée erronée du mariage.

Les yeux bruns se plissèrent, ne laissant plus filtrer qu'un éclat cuivré.

— Quelle sorte d'idée ?

— Je le voyais comme l'aboutissement de tous mes rêves. C'était pour moi une sorte de havre tranquille et sécurisant.

Harry serra les mâchoires. A ce moment précis, il aurait bien aimé mettre son poing sur la figure de Brian. Son attitude le révoltait. Pendant près d'un an, ce faux jeton s'était amusé avec Sheryl, reportant sans cesse la date de leur mariage. Il se souvenait du baiser qu'il les avait vus échanger dans le hall de l'immeuble. Sheryl semblait sincèrement éprise de Brian ce soir-là, et cette soudaine rupture devait la faire souffrir à présent bien plus qu'elle ne voulait l'avouer.

Devinant la tristesse et l'amertume de la jeune femme, Harry avait eu l'idée de venir lui tenir compagnie dans son appartement. Mais ne sachant pas quel accueil elle lui réserverait, il s'était arrêté au passage dans une pizzeria. A présent, il se félicitait de sa décision. Les larmes qu'il avait vues dans ses yeux prouvaient sa détresse. Il était passé par les affres d'un divorce et comprenait ce qu'elle pouvait ressentir.

Mais ce n'était pas seulement le désir de l'aider moralement qui l'avait poussé jusqu'ici. Il n'avait pas non plus besoin de reprendre avec elle l'étude des cartes postales : c'était le travail d'Evan. Une envie irrésistible de revoir Sheryl l'avait troublé toute la journée. Et dès que la jeune femme lui avait ouvert sa porte, il avait retrouvé, intacte, brûlante, la soif qu'il avait d'elle. Aussi avait-il bien du mal à afficher depuis son arrivée une attitude dont la nonchalance frisait l'indifférence.

Se méprenant sur le silence de Harry et croyant y déceler de la réprobation, elle s'était levée et, les deux pouces dans les poches arrière de son short, marchait de long en large dans la pièce.

— Je ne sais pas pourquoi j'ai été si longtemps aveugle, expliquait-elle. J'aimais Brian. Je l'aime encore. Mais ce n'est pas l'amour fou, si vous voyez ce que je veux dire...

Il voyait surtout ses longues jambes bronzées, ses chevilles fines et ses pieds nus aux ongles soigneusement vernis.

— Ce n'est sûrement pas en arpentant ainsi la pièce que vous allez réussir à oublier ce pauvre Brian.

Elle se retourna, surprise.

— « Ce pauvre Brian ? » Mais de quel côté êtes-vous, donc ?

— Du vôtre, bien sûr.

Il se leva. Trois pas seulement le menèrent près de Sheryl, soudain immobile.

— Vous recherchiez la sécurité dans le mariage, dit-il. Mais quelle sécurité ? La seule valable est celle qui consiste à ne jamais douter des sentiments de l'autre. Le véritable amour, c'est aussi la passion, les folles étreintes...

Il posa ses deux mains de chaque côté de son visage et ajouta d'un ton grave :

— Si cet homme vous avait aimée, Sheryl, il vous aurait embrassée et caressée à vous en faire perdre la raison.

Elle pouvait à peine respirer. Le contact des paumes brûlantes sur ses joues faisait naître en elle des vagues de désir incontrôlables. Seul Harry savait la troubler à ce point. A son contact, elle sentait un étrange feu couler dans ses veines. Le sang martelait ses tempes avec violence, et elle ne bougeait plus, hypnotisée par la force qui émanait de Harry.

Ils restèrent un moment immobiles, se contemplant l'un l'autre. Puis, poussée par un désir qu'elle ne cherchait même plus à cacher, Sheryl demanda dans un souffle :

— Embrassez-moi, Harry !

Il obéit et, aussitôt, comme la première fois, elle crut défaillir de bonheur. Elle passa ses deux bras autour de son cou et sentit monter en elle une multitude de sensations que jamais elle n'avait éprouvées en étreignant Brian.

Ça suffit maintenant, se dit Harry. Si tu prolonges ce baiser, tu es perdu. Tu lui as prouvé que le bonheur existait ailleurs que dans les bras de Brian. A présent, laisse-la tranquille !

Mais il sentait sous les siennes des lèvres si douces, si fermes, si fraîches, qu'il prolongea son baiser un peu trop longtemps. Il ne se souvenait pas que, la première fois, leurs bouches s'étaient rejointes avec autant de gourmandise. Pourtant, au moment d'attirer le corps souple contre le sien, il se retint. Une pression de plus, et il savait que la puissance du désir qui l'embrasait le conduirait à emmener Sheryl là où, peut-être, elle n'était pas encore prête à aller. Le souvenir de Brian était encore trop vif.

Imperceptiblement, il s'éloigna d'elle.

Surprise, Sheryl le regarda. Harry vit miroiter dans les yeux d'émeraude le reflet de sa propre passion. Alors, il n'hésita plus.

Cette fois, elle n'eut pas besoin de lui demander de l'embrasser. Il reprit sa bouche, lui mordillant tendrement les lèvres, les entrouvrant avec gourmandise. Sheryl gémit de plaisir. C'était à la fois terrible et merveilleux. Mais dans son vertige, elle voulait davantage encore, impatiente de sentir contre le sien ce corps solide, de s'anéantir en lui, de se fondre dans sa chaleur...

Le désir de la jeune femme était si perceptible que les derniers scrupules de Harry s'envolèrent. Il la souleva de terre et l'emporta comme si elle n'eût pas pesé plus lourd qu'une plume.

Sheryl se laissa enlever sans résistance et entendit à peine les aboiements de protestation de Puppy.

Le seuil franchi, Harry poussa la porte du pied, sourd aux gémissements qui s'élevaient derrière le battant.

— Un peu de corruption ne me gêne pas, avoua-t-il, rieur, à l'oreille de Sheryl, mais je ne tolère pas le voyeurisme.

— Il est jaloux. Il va aboyer pendant plusieurs minutes.

— Plusieurs minutes seulement ! dit malicieusement Harry. C'est un peu court. J'espère bien que notre tête-à-tête va durer toute la nuit.

A cette implicite promesse de plaisir, la jeune femme sentit courir des frissons sur sa peau.

Il la posa près du lit, le temps de lui ôter adroitement ses vêtements. Puis, sans la lâcher, il se recula et contempla, admiratif, les merveilles qu'il avait dénudées : les seins hauts et ronds, couronnés d'une pointe brune, le ventre plat, le triangle de toison dorée en haut des longues cuisses.

— Seigneur, que vous êtes belle, murmura-t-il.

Personne n'avait jamais complimenté Sheryl avec autant de ferveur. Elle le remercia d'un sourire et voulut, à son tour, déboutonner sa chemise, mais la hâte la rendait malhabile et la vue de l'arme dans l'étui ajoutait à sa fébrilité.

Harry lui écarta doucement les mains. Il retira son holster qu'il posa soigneusement sur une chaise, puis il se déshabilla.

Alors qu'elle se perdait dans la contemplation de sa mâle nudité, il retira la courtepointe, étreignit Sheryl et la bouscula vers le lit, où tous deux tombèrent dans un enchevêtrement de bras et de jambes.

Il pencha la tête et elle le sentit taquiner ses seins de la langue, en mordiller tendrement chaque pointe. Toute brûlante de l'ardeur qu'il lui communiquait, elle sentait déferler en elle des vagues de volupté. Mais en même temps, la flamme qui la dévorait l'empêchait de rester passive. Ses mains touchaient, exploraient, caressaient le corps allongé contre le sien, et chaque découverte la faisait haleter de bonheur.

Au moment où elle s'ouvrait, prête à le recevoir, il roula sur le côté en chuchotant :

— Attendez, chérie, laissez-moi vous protéger.

Il se leva, alla fouiller dans son pantalon abandonné sur le tapis.

Sheryl s'était redressée sur un coude et le contemplait. Il était magnifique. Des muscles longs, des épaules larges, pas un pouce de graisse. Lorsqu'il se retourna, gainé, son désir dressé vers les étoiles, elle le trouva encore plus excitant de face que de dos.

Il était l'enivrante aventure de sa vie. Quand il s'allongea de nouveau contre elle et recommença à la caresser, elle prit son visage dans ses mains et l'embrassa avec passion. Puis, n'y tenant plus, elle se pressa contre son corps musclé, l'entoura de ses jambes et s'arqua pour le sentir jusqu'au plus profond d'elle-même.

Il entra lentement en elle et resta un bref moment immobile, savourant le bonheur de l'emplir de sa puissance virile. Dans un dernier éclair de lucidité, Sheryl se demanda s'il ne comblait pas aussi le vide de son cœur.

Quand il bougea, elle se sentit fondre. Ne vivant plus que par le milieu de son ventre, elle devenait une onde de joie pure qui tournoyait, s'enflait à grands remous si violents, qu'ils en devenaient à peine supportables. Emportée par le tumulte de ses sens, elle cria avec l'impression d'exploser dans un embrasement de lumière.

Harry retomba près d'elle en l'enlaçant.

Le corps apaisé, elle se blottit au creux de l'épaule

accueillante. Dans un demi-sommeil, elle se souvint que Harry était revenu pour plancher sur le problème des cartes postales. « Nous travaillerons plus tard », se dit-elle en respirant avec délices la peau humide de sueur de son amant.

Elle dormait profondément, toujours nichée contre Harry, lorsqu'un bruit sourd, suivi d'un tintement de verre brisé, l'arracha à son sommeil.

Elle sursauta et ouvrit les yeux.

Harry avait déjà bondi hors du lit. Il était en train d'enfiler son pantalon et avait sorti son pistolet de l'étui.

— Que se passe-t-il ? demanda Sheryl, encore à moitié endormie.

— Je n'en sais rien. Restez là. Pas d'héroïsme inutile !

Angoissée, mais décidée à ne pas laisser Harry affronter seul le danger, Sheryl rejeta le drap et se leva dès qu'il eut quitté la chambre. Elle passait son T-shirt sur son slip, lorsque la porte s'ouvrit de nouveau.

Stupéfaite, elle vit apparaître Harry. Avec une grimace de dégoût, il brandit devant elle Puppy, le nez barbouillé de sauce tomate.

— Cette sale bête a sauté sur la table, dévoré le reste des pizzas et fait tomber le plat et les verres. Le plat a résisté, mais les verres sont en miettes.

Tenant toujours le chien par la peau du cou, il pivota et retourna vers le living.

Sheryl aurait dû être soulagée, mais sans bien comprendre pourquoi, elle se sentait mal à l'aise. En enfilant son short, elle se força à réfléchir...

Sa propre conduite l'étonnait. Comment avait-elle pu se jeter ainsi à la tête de Harry ? Que devait-il penser, à présent, de la manière dont elle l'avait provoqué ? D'abord, elle avait joué à la pauvre victime qu'un fiancé indélicat venait d'abandonner puis, oubliant sa fierté, elle avait quémandé un baiser pour se faire consoler...

Elle se décida pourtant à rejoindre Harry dans la salle à

manger. Accroupi devant Puppy qui le regardait d'un air penaud, il nettoyait avec une éponge les traînées de graisse sur la moquette. La vue de son torse puissant aviva la confusion de la jeune femme. Etait-ce vraiment elle, Sheryl, la raisonnable, la pudique, qui quelques minutes plus tôt avait entouré de ses bras et de ses jambes le corps nu de cet homme, s'offrant à lui comme une fille facile ?

Oui, sans aucun doute, elle avait eu cette audace. Ses lèvres encore gonflées témoignaient des baisers échangés. Mais comment avait-elle osé se comporter ainsi ? Elle ne savait presque rien de lui, sinon qu'il ne voulait pas d'engagement, pas d'attaches. Cette seule pensée aurait dû l'empêcher de se jeter à sa tête. L'exemple de ses parents ne lui avait-il pas servi de leçon ?

Elle se baissa et lui prit l'éponge des mains.

— Laissez ça ! Je vais nettoyer les bêtises de Puppy pendant que vous irez vous doucher et vous rhabiller.

Elle avait parlé sans le vouloir d'un ton péremptoire et autoritaire.

Il la regarda en souriant ironiquement.

— Me rhabiller déjà ? Mais la nuit n'est pas terminée.

Elle se sentit devenir écarlate et, pour éviter de le regarder, se mit à frotter la moquette avec énergie.

— Je croyais que vous étiez venu chez moi pour travailler, dit-elle, gênée. Pas pour batifoler au lit. Cela dit, c'est généreux de votre part d'avoir voulu me consoler.

Eût-elle voulu l'humilier qu'elle ne s'y serait pas prise autrement. Harry, à ces mots, referma la main sur son poignet. Elle leva la tête, croisa son regard. Toute trace d'amusement avait disparu de ses yeux bruns qui avaient viré au noir.

— Pour qui me prenez-vous ? demanda-t-il d'un ton sec. Pour le Bon Samaritain, qui vole au secours des âmes en peine ?

Non, bien sûr, ce n'était pas l'image qu'elle avait de lui. Pourtant, elle devait admettre, qu'en plus du violent plaisir qu'elle avait pris au cours de leurs ébats, il avait accompli un vrai miracle en lui faisant oublier Brian.

Elle toussota pour s'éclaircir la voix.

— J'a... j'avais besoin de me... de me reconstruire, dit-elle en essayant de dissimuler à quel point il la troublait. Vous m'avez consolée, aidée, et je vous en suis infiniment reconnaissante.

Avec une brusquerie qui la fit hoqueter de stupeur, il se releva, l'obligeant, d'une poigne vigoureuse, à faire de même.

— Reconnaissante de quoi ? gronda-t-il. De vous avoir distraite de votre chagrin ?

Elle soupira. Ainsi, tout ce qu'elle disait se retournait contre elle ! Elle se sentit prise au piège.

— Ce n'est pas ce que je voulais dire. Et je ne vous ai jamais considéré comme une distraction...

Comprenant enfin qu'elle l'avait blessé dans sa fierté de masculine, elle se contenta d'admettre la vérité en ajoutant d'une voix vibrante :

— C'était merveilleux, Harry. J'ai vécu un pur moment de bonheur. Merci !

Il la dévisagea sans répondre. Sa colère se mêlait désormais à l'incrédulité. Voilà qu'elle le remerciait maintenant ! Jamais il ne s'était perdu avec autant de passion dans les bras d'une femme. Jamais il n'avait partagé d'étreinte aussi fougueuse. Et elle se contentait de le remercier après l'avoir envoyé se rhabiller !

Depuis son divorce, Harry n'avait pas mené une existence de moine, mais ses rapports avec les femmes étaient restés désinvoltes et passagers. Il savait, qu'aussi longtemps qu'il pourchasserait les hors-la-loi, aucune compagne n'accepterait son mode de vie. C'est pourquoi il refusait de s'attacher, allant jusqu'à fuir tout risque d'aventure quand il menait une difficile enquête.

Mais depuis sa rencontre avec Sheryl, il avait enfreint les règles qu'il s'était imposées. Et il savait qu'il les briserait encore si Sheryl lui demandait de l'embrasser de nouveau... D'ailleurs, il n'avait même pas besoin qu'elle le lui demande ! En ce moment même, il luttait comme un fou contre l'envie de prendre dans ses bras cette créature rougissante pour l'emmener au lit et lui montrer qu'il avait encore bien d'autres distractions à lui offrir. La seule idée de toucher sa peau satinée le transperçait comme des milliers d'aiguilles.

Avec stupeur, il réalisa qu'il désirait encore plus Sheryl depuis qu'elle s'était abandonnée à lui. Il ressentait même quelque chose de plus profond, de plus puissant qu'un simple élan physique.

Et elle, au lieu de lui ouvrir les bras, le remerciait avec un sourire poli !

— Je suis désolée, ajouta-t-elle d'une voix calme. Je ne voulais ni vous insulter, ni banaliser ce qui s'est passé entre nous cette nuit. Je voulais seulement que vous ne vous sentiez aucune obligation envers moi. Je sais pourquoi vous êtes à Albuquerque. Je sais également que vous repartirez dès que vous aurez mis la main sur le fugitif que vous poursuivez. C'est pourquoi vous devez rester libre de toute attache.

Elle venait de dire à son tour ce qu'il ne cessait de se répéter depuis qu'il l'avait rencontrée. Mais à ce moment précis, il n'avait pas envie qu'elle se fasse l'écho de ses propres soucis.

— Sheryl !...

Il la regarda avec tendresse et avança vers elle une main caressante qu'elle saisit au vol.

— Tout va bien, Harry. Je vous comprends. Mon père était comme vous.

Il se demanda comment elle pouvait prétendre le comprendre alors que lui-même ne savait plus très bien où il en était. Sa seule certitude en cet instant était ce besoin impérieux de prendre Sheryl dans ses bras et...

La sonnerie de son portable interrompit net le cours chaotique de ses pensées. Il bondit sur sa veste, toujours accrochée au dossier d'une chaise, et prit l'appareil.

— Ici, McMillan.

— Où diable êtes-vous ?

La voix impatiente d'Evan lui fit froncer les sourcils. Comme il n'avait pas l'intention d'alimenter les ragots du poste de police, il éluda la question.

— Que se passe-t-il ? Et vous-même, où êtes-vous ?

— Devant votre motel. J'allais rentrer chez moi quand le directeur de l'aéroport de Santa Fe m'a appelé. Je me suis immédiatement précipité à votre recherche.

— Qu'est-ce qu'il voulait ?

— Me signaler l'arrivée d'un avion immatriculé au Brésil, dans environ une heure et demie.

— Santa Fe ? Il n'y a pas d'aéroport à Santa Fe. Les milliers de voyageurs qui se rendent dans la capitale sont obligés d'atterrir à Albuquerque.

— Seulement ceux qui voyagent sur des lignes régulières, rectifia Evan. Santa Fe n'a pas d'aéroport international à cause des montagnes qui entourent la ville, mais il y a tout de même là-bas un aérodrome avec des pistes courtes, réservé aux petits avions. Celui qui nous intéresse est un avion-cargo, chargé en principe de peaux de moutons en provenance du Pérou. Le pilote demande l'autorisation d'atterrir. Le plan de vol a été établi à Lima, mais l'avion est enregistré à Rio.

— J'arrive, dit Harry. Demandez un hélico.

— C'est fait. Il nous attend sur l'aire du bâtiment fédéral. Fay est déjà sur place.

— A tout de suite, Evan !

Il referma le portable et le glissa dans la poche de sa veste. Il fut tenté de se précipiter dans la chambre pour y récupérer sa chemise et remettre son pistolet dans son étui, avant de foncer, gyrophare allumé, vers le centre-ville. Mais pour la première fois de sa carrière, il modéra son impatience. Sheryl, qui n'avait entendu que la moitié du dialogue, le regardait avec anxiété. Il prit le temps de lui expliquer ce qui se passait et discuta quelques minutes avec elle des décisions qu'il venait de prendre.

Dix minutes plus tard, il franchissait le seuil de l'appartement. Elle l'accompagna dans le hall.

— Soyez prudent, Harry et...

— Et quoi ?

— Appelez-moi dès que vous le pourrez.

Il se retourna et l'embrassa tendrement sur les lèvres.

— Je reviendrai vous raconter mes exploits. Promis, juré, dit-il en souriant, la main levée.

Portant le sac qui contenait son gilet pare-balles et une réserve de munitions, Harry rejoignit Evan et Fay sur le toit du bâtiment fédéral. Un hélicoptère l'attendait. Tous trois s'engouffrèrent à l'intérieur de l'appareil et bouclèrent leur ceinture de sécurité.

Le pilote décolla aussitôt et mit le cap au Nord.

— Résumez-moi ce que nous allons trouver sur place, demanda Harry en élevant la voix pour couvrir le bruit du moteur.

— La police de Santa Fe a rassemblé ses troupes et établi un barrage de sécurité autour de l'aérodrome, répondit Fay.

— Ce n'est pas tout, ajouta Evan. Un Stallion Sikorski du FBI nous a précédés avec quatre hommes à bord.

Harry sourit, satisfait. Les gars seraient sûrement équipés d'un véritable arsenal et de projecteurs assez puissants pour illuminer la moitié du Nouveau-Mexique.

— Cette fois, ces salauds ne pourront pas nous échapper, dit-il en se frottant les mains. L'avion en provenance de Lima est à plus d'une heure de Santa Fe et nous serons à pied d'œuvre dans trente minutes environ. Nous allons avoir tout le temps de nous familiariser avec les lieux et de préparer le comité d'accueil. Les Douanes sont prévenues ?

— Oui, elles nous ont envoyé leurs meilleurs éléments.

Harry approuva d'un signe de tête, puis resta silencieux en se remémorant les obsèques de Dean. La femme de Dean, Jenny, avait tant pleuré la mort de son mari qu'elle semblait ne plus avoir de larmes. En la prenant dans ses bras, Harry lui avait juré d'avoir la peau du meurtrier, quitte à y laisser sa propre vie. Il était prêt à se sacrifier pour tous les policiers, morts en accomplissant leur devoir. Dans son esprit en ébullition, le visage de Sheryl remplaça celui de Jenny, et il revit l'éclat de ses magnifiques yeux verts, sentit sur sa peau la caresse de ses longs cheveux blonds... Une coïncidence, soudain, le frappa. Il avait quitté la jeune femme après un dernier baiser et une promesse, exactement comme Dean l'avait fait avec Jenny.

Et Jenny n'avait jamais revu Dean.

Harry regretta d'avoir promis à Sheryl de revenir pour lui raconter le déroulement des opérations. S'il arrivait à capturer le criminel, il devrait ensuite l'accompagner jusqu'à la prison. Et là, même protégé par d'autres policiers, comme Dean, il ne serait pas à l'abri d'une fusillade.

Non, il n'aurait pas dû faire cette promesse à Sheryl. D'ailleurs, il ne se reconnaissait pas le droit de lui promettre quoi que ce fût. Qu'avait-il d'autre à lui offrir que de brefs moments de plaisir, suivis de longues périodes de solitude ? Et ne risquait-elle pas elle aussi de pleurer sa mort un jour, comme Jenny avait pleuré celle de Dean un an plus tôt ?

Le pilote avertit soudain les passagers.

— Aérodrome en vue. Atterrissage dans quatre minutes.

Harry oublia aussitôt Sheryl, Jenny et même Dean. Tourné vers le hublot, il concentra son attention sur les lignes lumineuses qui, au loin, délimitaient les pistes.

Quatre minutes plus tard, l'hélicoptère se posait derrière des hangars, près d'un autre appareil plus puissant que lui.

Harry descendit le premier et regarda les alentours. La majesté du site le surprit. A perte de vue, de hautes montagnes se découpaient en crêtes noires sur le ciel constellé d'étoiles. Il releva le col de sa veste. A plus de deux mille mètres d'altitude, même à la mi-juin, les nuits étaient fraîches.

Ensuite, accompagné de Fay et d'Evan, il se dirigea vers les hommes qui l'attendaient.

L'atterrissage du Jet Hustler fut parfait. Le pilote, suivant les indications de la tour de contrôle, roula jusqu'en bout de piste et s'arrêta à une vingtaine de mètres des premiers hangars. Puis il coupa les moteurs.

Aussitôt la porte de l'avion ouverte et l'échelle de coupée dépliée, des ombres surgirent de tous les coins de l'aéroport, tandis que de puissants projecteurs, précis comme des lasers, dirigeaient sur l'appareil un faisceau de lumière aveuglante.

Trois hommes apparurent en haut de l'échelle. Eblouis, ils levèrent les bras pour se protéger les yeux.

L'arme au poing, Harry lança un ordre amplifié par les haut-parleurs :

— Les mains sur la tête ! Descendez lentement et couchez-vous face contre terre !

Les hommes obéirent. La dernière marche franchie, ils s'aplatirent sur le tarmac.

En regardant le pilote et les deux passagers se relever, Harry sentit la déception l'envahir. Ils étaient de taille moyenne et leurs visages typés d'Indiens trahissaient sans équivoque leur origine Inca. Près de lui, Evan s'exclama :

— Bon Dieu, aucun ne ressemble à Paul Gunderson !

— C'est bien mon avis, dit Harry.

Fay et Evan coururent inspecter la cabine. Personne ne s'y dissimulait.

Tandis que d'autres policiers emmenaient le pilote et les deux passagers, hébétés, vers les bureaux pour vérifier leurs papiers et les interroger, un tracteur accrochait le jet et le tirait vers les hangars.

Avec l'aide des chiens spécialement dressés pour la détection des marchandises prohibées, l'équipe des Douanes entreprit alors de passer au crible la cargaison de l'appareil...

Lorsque le soleil pointa à l'horizon, les douaniers, le cœur au bord des lèvres, quittèrent le hangar encombré de peaux de moutons graisseuses qui dégageaient une puanteur insoutenable. Le flair des animaux, lui, avait tenu bon, et les douaniers, malgré la fatigue, ne cachaient pas leur satisfaction. Dans les entrailles de l'avion, les chiens avaient repéré un stock de sacs en plastique qui intéresseraient au plus haut point le service des Stupéfiants.

Le lieutenant des Douanes s'approcha de Harry en souriant.

— Cinq cents kilos d'héro, plus un Jet confisqué qui sera vendu au bénéfice du Trésor Public, c'est une fameuse prise.

— Oui, approuva Harry. Malheureusement, ce n'est pas celle que j'espérais.

Ils se serrèrent la main et l'officier remarqua, aimable :

— Ce n'est que partie remise, monsieur. La prochaine fois, vous aurez plus de chance.

— J'espère, dit Harry, désabusé.

Il alla rejoindre le groupe de policiers qui buvaient un café dans le bureau du directeur. Fay lui tendit un gobelet plein. Harry la remercia, avala le breuvage chaud et dit d'un ton morne :

— Je crois que nous allons devoir étudier de nouveau ces fichus listings.

Il froissa le gobelet vide et le jeta dans une corbeille d'un geste rageur.

8.

Sheryl allongea le bras et arrêta la sonnerie de son réveille-matin. Inutile de lui rappeler qu'il était 6 heures, elle le savait déjà car elle n'avait pas fermé l'œil de la nuit. Elle avait suivi par la fenêtre le passage de l'obscurité à la pâle clarté de l'aube, puis à l'embrasement de l'aurore.

Sept heures s'étaient écoulées depuis le départ de Harry. Sept heures d'inquiétude qui semblaient avoir duré des jours.

Dire qu'autrefois, elle s'énervait tellement de voir sa mère si anxieuse pendant les absences de son père ! Bien sûr, elle pleurait, elle aussi, quand il s'en allait, mais son chagrin d'enfant s'envolait vite. A présent, elle comprenait l'angoisse qu'avait dû si souvent éprouver Joan Hancock. La pensée que Harry était peut-être en danger lui glaçait le sang. Elle souhaitait de toute son âme que l'opération réussît mais ne pouvait se défendre d'un funeste pressentiment.

Oubliant quelques instants sa détresse, elle s'étira en pensant aux moments exaltants qu'elle avait vécus dans les bras de Harry, à la caresse de ses lèvres sur ses seins, à la saveur de sa bouche gourmande et chaude sur la sienne. Qu'elle avait été heureuse ! Ainsi, le bonheur existait ailleurs que dans les romans ! Mais pourquoi devait-elle le payer maintenant de cette interminable attente ?

Le samedi était son jour de repos, et d'habitude, elle en profitait pour se lever tard. Mais ce matin-là, elle se sentait trop inquiète pour rester longtemps au lit. Elle bouscula Puppy qui dormait sur ses pieds et lui donna une tape sur l'échine pour le faire taire.

— Arrête de grogner ! Je peux me lever quand je le veux, non ?

Un café et une douche lui redonnèrent un peu de tonus. Elle enfila une robe de coton vert pâle, avec de fines bretelles et un décolleté arrondi.

Devant le miroir de la salle de bains, elle essaya d'effacer les dommages causés par sa nuit sans sommeil. Mais son léger maquillage ne put masquer complètement les cernes sous ses yeux. Elle posa sur ses lèvres une touche de carmin puis brossa ses cheveux, qu'elle disciplina avec un serre-tête du même vert que sa robe.

Puppy ne la quittait pas d'une semelle et tournait autour de la pièce en flairant tout ce qui était à la hauteur de son museau.

Sheryl comprit bientôt la signification de son manège. Redoutant le pire, elle éleva la voix :

— Retiens-toi, Puppy ! Nous allons sortir dans un instant.

Elle avait découvert que le chien comprenait parfaitement la signification de certains mots. « Sortir », apparemment, appartenait au vocabulaire que sa maîtresse lui avait enseigné. Aussitôt, il manifesta sa satisfaction en jappant joyeusement.

Une certaine complicité s'était établie entre Sheryl et l'animal, et malgré les bêtises dont il était coutumier, elle commençait à éprouver pour lui un début affection.

Elle enfila des sandales, prit la laisse de Puppy et glissa le petit chien sous son bras pour l'empêcher de sauter contre la porte.

Après avoir débranché l'alarme, elle reposa le chien sur le sol et déverrouilla la serrure. Le battant à peine ouvert, Puppy bondit à l'extérieur avant même que Sheryl ait eu le temps de le retenir. Elle courut derrière lui en l'appelant. Mais l'obéissance n'étant pas sa qualité première, il fit la sourde oreille et se rua à la poursuite d'un superbe chat persan qui venait souvent le narguer du haut du muret protégeant la terrasse. L'heure de la vengeance avait sonné : le Shih Tzu chargeait l'ennemi en aboyant de toutes ses forces.

— Oh, non ! gémit Sheryl.

Il allait réveiller tout le quartier ! Naturellement, le chat avait déguerpi, entraînant dans son sillage Puppy, puis la pauvre Sheryl qui courait maintenant derrière eux sans réussir à les rattraper.

En traversant la rue, elle heurta une pierre et se tordit le pied. Elle grimaça sous la douleur et s'arrêta quelques secondes pour se masser la cheville. Puis elle reprit sa course en boitillant, guidée par les aboiements du chien qui avait disparu à l'horizon.

Où diable était donc passé ce maudit animal ?

Elle contourna le square et s'engagea dans un dédale de ruelles qu'elle ne connaissait pas. La sueur perlait à son front. Sa cheville lui faisait mal et elle avait l'impression que ses poumons allaient éclater. Bien décidée cependant à retrouver Puppy, elle continuait ses recherches en l'appelant à tous les échos.

Elle l'aperçut soudain. Assis au centre d'une petite place, il aboyait en direction d'une fenêtre sur laquelle le persan s'était réfugié, le poil hérissé. Un groupe de gamins hilares excitait de loin le Shih Tzu. Un homme, probablement le propriétaire du chat, se pencha à la fenêtre et apostropha Sheryl.

La jeune femme fit taire les enfants et, s'approchant du chien qui ne l'avait pas vue venir, attacha la laisse à son collier. Elle lança quelques brèves excuses en direction de la fenêtre et entreprit de tirer derrière elle Puppy qui protestait en grognant.

Elle ne connaissait pas le quartier et se perdit à deux reprises dans le labyrinthe des petites ruelles animées. Enfin, reconnaissant au loin le square qui jouxtait sa résidence, elle ralentit le pas et, tenant cette fois fermement la laisse, elle atteignit son immeuble clopin-clopant.

Alors qu'elle approchait de sa maison, son cœur fit un bond dans sa poitrine et elle s'arrêta pour reprendre sa respiration. Une voiture de police, gyrophares allumés, stationnait devant la porte. Un agent en uniforme se tenait près du capot. Un autre se trouvait dans le hall de l'immeuble.

— Mon Dieu ! Se dit-elle. Quelque chose est arrivé à Harry.

Oubliant la douleur, elle prit Puppy sous son bras et courut jusqu'au premier agent.

— Qu'est-ce qui se passe ? Harry est blessé ?

— Harry ?

— Monsieur McMillan.

— Ah, l'agent du FBI ? C'est lui qui nous a appelés parce que votre appartement n'était pas fermé.

Un sentiment de culpabilité étreignit Sheryl. Dans sa hâte, elle avait oublié de fermer la porte derrière elle. Elle passa une main lasse sur son front.

— Ça va, mademoiselle Hancock ? demanda l'agent.

— Oui, oui, très bien, merci.

Une voix résonna soudain dans le hall de l'immeuble.

— Où diable étiez-vous ?

L'œil sombre, tremblant de fureur, Harry se tenait sur le seuil de l'appartement. Visiblement, il avait eu très peur.

Sheryl décida de lui cacher la vérité pour sauver Puppy.

— Je... j'étais sortie pour acheter le journal.

Son regard noir remonta de ses pieds poussiéreux à son visage en sueur. Puis il avisa le chien qui frétillait sous son bras.

— Répétez-moi ça encore une fois ! ordonna-t-il.

Furieuse qu'il ose la traiter ainsi devant deux agents de police, elle protesta :

— Certainement pas. Vous n'aviez qu'à écouter la première fois.

Elle n'aurait jamais cru que le visage de Harry pût refléter une telle colère. Un éclair de rage traversa ses yeux bruns, et il serra les mâchoires. Il réussit pourtant à se contrôler.

— Ce n'était qu'une fausse alerte ! dit-il en s'adressant aux agents. Excusez-moi de vous avoir dérangés pour rien.

— Ça n'a pas d'importance.

— Merci en tout cas d'avoir répondu aussi vite.

— Nous restons à votre disposition, monsieur.

Après un vague salut en direction de Sheryl, les policiers tournèrent les talons.

Sheryl entra dans son appartement, suivie de Harry qui apparemment ne décolérait pas. Il repoussa la porte du pied et demanda ton brutal :

— Vous boitez, maintenant ?

— Je me suis tordu la cheville en courant.

— Vous aviez besoin de courir pour aller acheter le journal ?

Elle ne répondit pas. Elle avait du mal, elle aussi, à garder son calme. Elle avait chaud, son pied lui faisait mal et elle avait passé une partie de la nuit à se faire du souci pour rien, puisque, de toute évidence, Harry n'avait pas mis la main sur le fugitif qu'il poursuivait.

Elle se baissa et posa Puppy sur le sol. Sentant qu'il valait mieux se faire oublier, le Shih Tzu fila se réfugier dans le living et s'installa silencieusement au creux d'un fauteuil.

Sheryl affronta Harry. Il était si près qu'elle pouvait voir la barbe naissante qui assombrissait ses joues et son menton.

— J'ai l'impression que Paul Gunderson n'était pas au rendez-vous, dit-elle.

— Il n'y était pas, répondit brièvement McMillan.

Puis, revenant à sa première idée, il poursuivit :

— Vous non plus, vous n'étiez pas là quand je suis revenu, et votre porte était restée ouverte.

— Je reconnais que j'aurais dû la fermer, dit-elle avec légèreté.

— Est-ce que vous vous rendez compte de ce que j'ai ressenti en trouvant votre appartement vide ? hurla-t-il.

La violence de son ton bouleversa Sheryl. Loin de l'effrayer, cette explosion de rage fut pour elle comme un déclic. Elle cadrait avec la soif d'aventure et d'insolite qu'elle avait découverte en elle depuis sa rencontre avec Harry.

Quelle erreur elle avait manqué commettre ! Dire qu'elle croyait trouver le bonheur dans une existence ordonnée et confortable ! Avec un sentiment de jubilation, elle songea que tout ce qu'elle désirait dorénavant c'était partager l'excitation, la passion, et même la colère de cet homme qui fixait sur elle ses prunelles dorées.

Elle décida de provoquer Harry et lança, moqueuse :

— Non, je n'ai aucune idée de ce que vous avez ressenti. Mais vous pourriez peut-être me faire un dessin ?

— Un dessin ? dit-il, au comble de l'exaspération. Le voilà, mon dessin.

Il enfouit les mains dans les cheveux de la jeune femme, l'attira vers lui et prit ses lèvres dans un long baiser, implacable et acharné, mais si ardent que, pour ne pas perdre l'équilibre, elle dut se cramponner à ses épaules. Harry ne se contrôlait plus. Fou de rage, les narines frémissantes, il sentait monter en lui un irrépressible besoin de punir la jeune femme. De caressantes, ses mains devinrent possessives, glissèrent sur les hanches de Sheryl, qu'il attira soudain vers lui d'un geste brusque.

Sheryl sentit contre elle sa dure virilité. Loin de

l'offusquer, cette idée l'excita. En découvrant qu'il la désirait si fort et si vite, elle ressentit à son tour un besoin impérieux de lui. Croisant son regard perdu, elle comprit que cette sauvagerie à peine contrôlée résultait autant de la frustration d'avoir échoué dans sa mission que de l'angoisse qu'il avait ressentie en trouvant l'appartement vide. Peu importait ce qui avait allumé la flamme, Sheryl s'y brûlait avec délices.

Emportée par un incontrôlable tumulte des sens, elle le voulait tout de suite et aussi violemment que lui-même la désirait. Tandis qu'il dévorait sa bouche, elle tâtonna pour défaire la ceinture de son pantalon. Il se raidit et attaqua les boutons de la robe bain de soleil, tirant sur le tissu pour les ôter. Elle les entendit tomber l'un après l'autre sur le dallage. La robe suivit. Harry abandonna sa veste et son pantalon quelque part sur la moquette du couloir et, dans un dernier éclair de lucidité, ôta sa chemise dans la chambre après avoir posé avec soin son holster sur une chaise.

Le feu qui les embrasait les jeta, poitrine contre poitrine, sur le lit que Sheryl n'avait pas pris le temps de recouvrir avant de sortir Puppy. Leurs bouches se rejoignirent. Leurs mains osaient des caresses follement érotiques. Harry sentait la jeune femme prête à répondre à tous ses désirs. Il la pénétra dans un besoin aigu de possession et ils haletèrent jusqu'au moment où un spasme aigu foudroya Sheryl.

Harry sentit ses ongles lui labourer le dos. Une houle de joie, plus intense encore que le plaisir, le secoua. Il râla et retomba, exténué, à côté d'elle.

Alors, il glissa un bras derrière les épaules de la jeune femme et la resserra contre lui. Puis il l'embrassa sur les lèvres avec une infinie tendresse, avant de murmurer à son oreille quelques paroles à peine audibles, à travers lesquelles Sheryl crut percevoir le mot « amour ».

Ivre de fatigue, il s'endormit aussitôt.

Epuisée, elle aussi, Sheryl plongea à son tour dans une bienfaisante torpeur.

C'est une exclamation de colère qui cette fois réveilla la jeune femme deux heures plus tard.

Les paupières encore lourdes de sommeil, les sourcils froncés, Harry était assis dans le lit et se tenait la jambe en grimaçant.

— Qu'y a-t-il ? s'inquiéta Sheryl.

— Ce sale corniaud m'a mordu la cuisse.

Elle s'assit à son tour et examina la prétendue morsure de Puppy. L'air penaud, le chien était tapi au pied du lit, le museau sur les pattes antérieures.

— D'abord ce n'est pas un corniaud, mais un chien tibétain de pure race, rectifia-t-elle. Ensuite, il ne vous a pas mordu, mais seulement éraflé avec ses griffes. Il voulait juste s'installer à sa place habituelle, sur le lit.

— Comment pouvez-vous tolérer un chien sur votre lit ?

— Je ne le tolère pas. Je le subis.

Harry la regarda longuement, cherchant un sens caché à ses paroles. Dans les yeux bruns, une tendresse inquiète avait remplacé la colère.

— Dois-je comprendre que vous vous soumettez facilement à ceux qui vous imposent leur loi ?

Spontanément, elle l'enlaça par le cou et se blottit contre lui.

— Oh, non, protesta-t-elle en riant, n'allez pas chercher une quelconque allusion dans ce que je viens de dire. Je ne suis pas d'une nature soumise. Mais oublions Puppy et revenons à nous deux. Tout à l'heure, si j'ai partagé votre folie, c'est parce que j'en avais autant envie que vous.

Pendant un moment, ils se dévisagèrent avec une intensité presque douloureuse. Sheryl sentit que Harry était en train de lutter contre l'ardeur qui l'enflammait. Grisée par le désir qu'elle sentait naître en elle de nouveau, elle eut pourtant la sagesse de ne tenter aucun geste provocant.

La raison l'emportant sur ses pulsions, Harry s'écarta d'elle. Il passa une main sur son menton râpeux et dit en soupirant :

— Je dois m'en aller.

— Je sais, répondit Sheryl, résignée.

— La nuit dernière, ce n'était pas Paul Gunderson qui était dans l'avion. Mais je ne m'avoue pas vaincu aussi facilement. Nous allons reprendre les investigations. Evan et Fay m'attendent pour étudier de nouveau les renseignements que vous nous avez fournis sur la carte de Rio.

Il s'interrompit, l'air soucieux et reprit brusquement :

— Est-ce que je peux prendre une douche ?

— Faites comme chez vous, dit-elle avec une nonchalance voulue. Vous trouverez même un rasoir dans le petit meuble au-dessus du lavabo.

Dès qu'elle entendit l'eau couler dans la salle de bains, elle se leva, s'enveloppa dans une robe de chambre et alla ramasser les vêtements épars dans le couloir et dans le hall. Elle étala soigneusement le pantalon de Harry sur le lit et accrocha sa veste au dossier d'une chaise.

Elle avait compris, quelques minutes plus tôt, qu'elle avait le pouvoir de le retenir. Mais elle ne voulait pas en abuser. Il avait une mission à remplir et elle ne voulait pas être une entrave à sa carrière.

Elle lui prépara un café qu'il but d'un trait avant de partir.

— Je vous téléphonerai, promit-il sur le pas de la porte.

— C'est ce que doivent dire tous les agents du FBI en quittant leur femme.

La plaisanterie de Sheryl tomba à plat. Harry la regarda avec une soudaine gravité.

— Je vous appellerai, répéta-t-il. C'est tout ce que je peux vous promettre.

Il lui caressa la joue, et partit très vite, sans se retourner, vers sa voiture garée sur le parking des visiteurs.

Cette fois, Sheryl referma soigneusement la porte et brancha l'alarme.

Tout en se prélassant dans un bain moussant parfumé, elle mesurait à quel point, en cinq jours, elle avait changé. Finie la routine ! Harry lui avait communiqué son goût de l'imprévu, et elle attendait maintenant de la vie bien davantage que calme et sécurité.

Elle ne se souvenait pas exactement du moment où elle était tombée amoureuse du séduisant policier. Elle l'avait aimé quand il était venu la surprendre avec les pizzas, adoré lorsqu'elle s'était abandonnée pour la première fois dans ses bras. Mais c'est seulement ce matin, quand il l'avait punie d'un baiser sauvage, qu'elle avait eu la certitude qu'elle ne se trompait pas.

Elle l'aimait à la folie.

Sa passion résisterait-elle à l'épreuve de l'absence et aux larmes de la solitude ? Elle voulait croire que ce qu'elle partageait avec Harry n'avait rien de commun avec le sentiment qui, jadis, avait uni ses parents.

Mais peut-être se trompait-elle sur ce qu'éprouvait Harry à son égard ?

Elle repoussa cette idée qui la faisait souffrir et décida de passer le reste de la matinée à faire un peu de ménage.

A plusieurs reprises, elle fut interrompue par la sonnerie du téléphone. Le cœur battant, elle se précipitait chaque fois vers l'appareil avec l'espoir d'entendre la voix de Harry, mais il ne s'agissait que d'erreurs ou de publicités sans intérêt.

Exaspérée d'être dérangée sans cesse inutilement, elle alla répondre une nouvelle fois, bien décidée à éconduire vertement l'importun. Mais elle reconnut la voix d'Elise au bout du fil.

Toute joyeuse, la jeune maman lui raconta la première nuit de son bébé. Elle insista sur la gentillesse de Brian qui gardait ses deux aînés puis demanda :

— Est-ce que tu pourrais passer chez moi prendre quelques vêtements et des accessoires de toilette que tu m'apporterais ensuite à l'hôpital ?

— Bien sûr, dit Sheryl. De quoi as-tu besoin ?

Elle inscrivit sur une feuille de bloc-notes la liste de ce que désirait son amie et promit de se rendre à la maternité à l'heure du déjeuner.

La jeune femme avait à peine raccroché, que la sonnerie retentit de nouveau. Cette fois, c'était sa mère. Elle alla s'installer confortablement sur un divan, car la conversation risquait de durer longtemps. Caressant machinalement Puppy niché sur ses genoux, elle écouta d'abord les doléances de Joan Hancock. Cette dernière commençait toujours une discussion par un chapelet interminable de récriminations. Les sujets ne manquaient pas : santé, voisins, ralentissement des affaires, dépravation de la société... Enfin, elle demanda des nouvelles de sa fille.

Sheryl raconta l'accouchement prématuré d'Elise et insista sur l'aide amicale de Brian. Puis elle décida d'annoncer sa rupture à sa mère.

Joan s'en étrangla de stupeur.

— Mais... c'est impossible. Vous étiez presque fiancés.

— « Presque » est le mot qui convient.

Elle éloigna légèrement l'écouteur de son oreille pour atténuer les protestations véhémentes qui s'en échappaient et posa sa cheville enflée sur une petite table en face d'elle. En attendant d'avoir recousu les boutons de sa robe, elle avait enfilé un caleçon vert émeraude et un chemisier à fleurs, sans manches.

Le déluge de protestations se tarit enfin et sa mère passa au chapitre des conseils :

— Va trouver Brian ce soir et dis-lui que tu regrettes ta décision... Non, appelle-le tout de suite sinon ta soi-disant amie va définitivement lui mettre le grappin dessus.

— Qu'est-ce que tu cherches à insinuer?

— Elise est amoureuse de Brian depuis son divorce. Ça crevait les yeux, mais comme il ne voyait que toi, elle se contrôlait. Maintenant plus rien ne la retient, c'est comme si tu lui avais laissé carte blanche... Je t'en prie, ressaisis-toi, ma chérie.

Mais Sheryl n'avait pas envie de se ressaisir. N'écoutant plus sa mère, elle se dit même que si Elise et Brian ressentaient l'un pour l'autre la même chose qu'elle et Harry, c'était magnifique.

L'écouteur coincé contre l'oreille, elle se leva, délogeant de ses genoux le chien assoupi. Il grogna, lui lança un regard de reproche et revint s'allonger sur le divan.

— Je suis obligée de t'interrompre, maman. Elise m'a demandé de lui apporter quelques affaires à la maternité. Je te rappellerai cet après-midi.

— Parle-lui de Brian, ordonna Joan.

— Oui, oui, maman... Je t'embrasse. A bientôt!

Elle reposa le combiné sur l'appareil qui se remit à sonner presque instantanément. Elle sursauta et décrocha, pleine d'espoir.

Cette fois, c'est Harry, pensa-t-elle.

— Mademoiselle Hancock?

— Oui, dit Sheryl, déçue.

— Je suis maître Ortega, l'avocat d'Inga Gunderson. D'après mes renseignements, c'est vous qui vous occupez du chien de ma cliente.

Elle acquiesça en regardant l'animal étendu paresseusement sur le divan.

— Je le garde chez moi pour lui éviter la fourrière.

Mme Gunderson vous a chargé de lui trouver un autre abri ?

Au moment où elle posait cette question, elle se rendit compte que l'éventualité de se séparer de l'animal ne lui procurait aucune joie. Pourtant, depuis qu'il était chez elle, Puppy avait déchiré ses vêtements, arrosé le pied de sa table, élu domicile dans son lit. Et ce matin, il l'avait entraînée dans une course-poursuite durant laquelle elle s'était tordu la cheville avant de se perdre dans un quartier mal famé.

Sans bien comprendre pourquoi, elle poussa un soupir de soulagement lorsque l'avocat répondit à sa question par la négative.

— Ma cliente ne connaît personne à Albuquerque qui puisse lui rendre ce service. Mais elle continue de se faire du souci pour son petit compagnon. Elle m'a chargé de vous recommander de bien le soigner et surtout, de ne pas oublier de lui donner, tous les deux jours, son remède pour le cœur.

— Son remède ? Mais quel remède ? J'ignorais qu'il était malade.

— D'après sa maîtresse, il a failli mourir d'une crise cardiaque l'année dernière. Depuis, il prend régulièrement des pilules.

— Quelles pilules ? Et où puis-je me les procurer ?

— Dans une boutique spécialisée en produits vétérinaires. Ma cliente a commandé le médicament devant moi. Pouvez-vous aller le chercher pour elle ?

— Bien sûr, approuva Sheryl. Donnez-moi l'adresse du magasin.

Elle l'inscrivit sur la même feuille que la liste de vêtements qu'elle devait prendre chez Elise et promit à l'avocat de faire prendre ses cachets au chien le soir même.

— Je vous remercie, mademoiselle Hancock. Je suis sûr que ma cliente vous en sera infiniment reconnaissante.

Le magasin était situé sur les quais du Rio Grande, pas très loin du domicile d'Elise. Sheryl se dit qu'elle n'aurait même pas besoin de modifier son itinéraire.

Mme Gunderson avait vraiment tout prévu. Sheryl n'eut rien à régler et, lorsqu'elle sortit du magasin, elle ne prêta pas attention aux deux hommes qui lui avaient emboîté le pas comme pour la protéger, elle et son précieux médicament.

Le Stetson rabattu sur les yeux, ils s'approchèrent d'elle au moment où elle regagnait sa voiture, garée près des quais dans une petite rue déserte. L'un d'eux la saisit brutalement par l'épaule et la tira en arrière. Avant même qu'elle ait pu se débattre ou appeler à l'aide, l'accolyte lui appliqua un mouchoir sur le visage. Sheryl essaya de retenir sa respiration, mais suffoquée, au bord de l'asphyxie, elle finit par remplir ses poumons d'air. La chaussée, les maisons et les Stetson chavirèrent puis disparurent dans une obscurité encore plus profonde qu'une nuit sans lune.

9.

— Mais où peut-elle bien être ?

Comme un fauve en cage, Harry faisait les cent pas dans la salle de conférences du bâtiment fédéral. A midi, Il avait essayé de téléphoner à Sheryl. A 16 heures, après un nombre incalculable d'appels, il n'avait toujours pas réussi à la joindre.

Evan et Fay le regardaient s'agiter. Leurs traits, comme ceux de Harry, portaient les stigmates d'une nuit sans sommeil.

— Voulez-vous que j'alerte le shérif ? proposa Evan.

— Non, dit Harry.

Il fourra les mains dans ses poches et cessa d'aller et venir dans la pièce. Il réfléchissait. Le fiasco de ce matin le rendait prudent. Sheryl pouvait être en train de faire du shopping. Une heure plus tôt, la voiture de patrouille chargée de surveiller le quartier où résidait la jeune femme lui avait remis son rapport. Cette fois, la porte de l'appartement était soigneusement fermée. Le chien gémissait à l'intérieur et la Toyota n'était pas au parking.

Tout laissait donc à penser que Sheryl faisait du lèche-vitrine, ou était à la maternité, au chevet de son amie.

Alors pourquoi, depuis le matin, Harry ressentait-il cette sourde inquiétude, doublée d'un funeste pressentiment ?

Il croyait en deviner la raison. Il avait quitté la jeune

femme brutalement et elle avait semblé peinée quand il avait seulement promis de lui téléphoner.

Mais qu'aurait-il pu promettre de plus ? De venir la retrouver ce soir, demain et tous les jours qu'il passerait à Albuquerque ? Elle méritait mieux que ces rendez-vous hâtifs, pris sur son temps de travail. Sans compter que, d'un moment à l'autre, il pouvait être rappelé à Washington si le juge estimait qu'il tardait trop dans sa mission.

Pendant quelques secondes, il laissa vagabonder son imagination. Il se vit passant toutes ses nuits près de Sheryl et prenant, chaque matin, son petit déjeuner avec elle. Même la présence du chien hirsute ne le dérangerait pas s'il pouvait entendre encore le rire cristallin de la jeune femme et noyer son visage dans ses cheveux de soie...

Il soupira et haussa les épaules. Ces images idylliques étaient du domaine du rêve. Il savait pertinemment que son métier était incompatible avec une vie de couple. Il se força à redescendre sur terre et se concentra sur ce qu'il était en train de faire. Ce qui, pour l'heure, semblait appartenir également au domaine de l'utopie.

Avec une constance proche de l'obstination, Harry, Fay et Evan s'étaient de nouveau plongés dans l'étude des listings. Inga Gunderson refusait toujours de parler. Pourtant, McMillan était persuadé qu'elle continuait de servir d'intermédiaire entre son prétendu neveu et le gang qui livrait à la pègre les balles renforcées à l'uranium. Malgré l'échec de Santa Fe, il était certain que le reste de la cargaison volée au Canada était sur le point de débarquer clandestinement. Où ? Quand ? Il l'ignorait. Tous les aérodromes des environs restaient en alerte et devaient le prévenir s'ils avaient du nouveau. Pour l'instant, il était surtout préoccupé par la disparition de Sheryl et n'interrompait l'étude des listings que pour essayer régulièrement de joindre la jeune femme.

Il revint s'asseoir à la table de conférences et décrocha des téléphones. Croisant le regard réprobateur de Fay, il se justifia.

— J'appelle le Centre Hospitalier Universitaire. Sheryl est peut-être au chevet de son amie Elise, qui vient d'avoir un bébé.

Le standard de l'hôpital le brancha sur la chambre d'Elise. Ce fut Brian qui décrocha. Apparemment, l'agent immobilier ne quittait guère la jeune maman.

— Ici, McMillan, dit Harry avec brusquerie. Je voudrais parler à Sheryl.

Brian répondit sur le même ton :

— Elle n'est pas ici.

— Avez-vous une idée de l'endroit où je pourrais la joindre ?

— Non.

Il y eut un silence, puis Brian reprit d'un ton plus aimable :

— En fait, je m'apprêtais à vous appeler. Sheryl avait promis à Elise de passer à midi, prendre quelques affaires chez elle avant de les lui apporter ici. Or, la concierge de Mme Hart qui a les clés de l'appartement n'a pas vu Sheryl. Nous non plus, d'ailleurs, et je commençais à m'inquiéter.

Harry étouffa un juron. Ainsi, cet imbécile de Brian commençait à s'inquiéter, alors que lui, Harry, s'angoissait depuis des heures. Son instinct ne l'avait pas trompé. Quelque chose était arrivé à la jeune femme.

— Je m'en occupe immédiatement, dit-il, prêt à raccrocher.

Brian reprit d'un ton menaçant :

— J'espère que cette chasse à l'homme dans laquelle vous l'avez entraînée n'est pas en train de mettre sa vie en danger.

— Je l'espère autant que vous.

— Appelez-moi dès que vous aurez des nouvelles.

Harry n'appréciait pas que Brian lui donnât des ordres. Toutefois, il marmonna une vague promesse avant de raccrocher.

Aussitôt, il forma un autre numéro en lançant à ses collaborateurs :

— Fay, Evan, il est arrivé quelque chose à Sheryl. Je demande au shérif de faire rechercher la Toyota. Ensuite, je filerai jusqu'à son appartement. Au passage, je préviendrai un serrurier et les gars de la sécurité qui ont installé l'alarme...

Quelques minutes plus tard, il sortait du parking et se mêlait à la circulation. A chaque feu rouge, il freinait brutalement, puis repartait au vert en faisant crisser les pneus de la Chevrolet.

Afin de ne pas éveiller les soupçons, il n'avait pas mis le gyrophare sur le toit. Jusqu'à présent, ceux qu'il poursuivait s'étaient montrés plus rusés que lui. Mais la partie de cache-cache était terminée. Cette fois, il avait un plan, et ils allaient voir à qui ils avaient affaire.

Pour rejoindre la résidence de la jeune femme, il devait longer une avenue bordée d'élégants magasins. En ce samedi de juin, la foule encombrait les trottoirs. Les filles étaient jolies. Harry ne les regardait pas. Les images défilaient sous ses yeux sans qu'il les voie. Obsédé par la disparition de Sheryl, il envisageait le pire, et son cœur se serrait. Il tentait de se rassurer en se disant que, par une si belle journée, la jeune femme était peut-être allée marcher dans les collines; mais dans ce cas, elle aurait emmené Puppy. D'autre part, si elle avait eu un malaise chez elle, sa voiture serait toujours au parking. Cette place vide et les gémissements du chien enfermé étaient ce qui l'inquiétait le plus et il ne pouvait s'empêcher d'imaginer les plus terribles scénarios.

Alors qu'il contournait le square proche de la résidence, il sentit naître en lui une lueur d'espoir. Et si Sheryl avait tout simplement conduit sa voiture chez un garagiste pour la faire réviser, avant de revenir chez elle pour se coucher et récupérer de sa nuit sans sommeil?

Il serra ses mains sur le volant au point d'en blanchir

les jointures. Si seulement cette supposition pouvait se révéler exacte ! Il entrerait dans l'appartement derrière le serrurier, irait dans la chambre pour réveiller Sheryl et la gronderait pour tout le mauvais sang qu'il s'était fait à son sujet...

... Avant de lui dire à quel point il l'aimait.

« En admettant qu'elle soit en mesure de t'entendre », lui soufflait une petite voix cruelle.

Au même moment, Sheryl n'entendait rien d'autre que le bourdonnement sourd du sang battant à ses oreilles. Une nausée lui retournait estomac. Des points rouges dansaient derrière ses paupières fermées. Une fade odeur de moisi ajoutait à son écœurement.

Elle commença à reprendre conscience et tenta de bouger la tête. Elle dut y renoncer car chaque mouvement qu'elle faisait lui mettait le cœur au bord des lèvres.

Une voix nasillarde lui parvint comme à travers un épais brouillard.

— Alors, poupée, on est de retour parmi nous ?

Une autre voix s'éleva, plus nette et plus autoritaire que la première. Sheryl, qui se réveillait peu à peu, comprit que cette fois on ne s'adressait pas à elle.

— Tu as failli la tuer, espèce de crétin ! La prochaine fois, ce n'est pas la peine de forcer autant la dose.

— Je n'ai rien fait de plus que ce que ton sale toubib de frère m'a conseillé. Alors, change de disque. Si la fille avait subi une opération chirurgicale, elle serait restée dans les vapes encore plus longtemps.

— Ça c'est sûr, mais ce n'était pas le but recherché. Avec tes bêtises, on a perdu un temps précieux. Imagine que l'atterrissage ait lieu aujourd'hui, on serait dans de beaux draps maintenant que la vieille est en tôle.

Sheryl frissonna. Le ton de cette voix la faisait grincer des dents. Elle décida de simuler l'inconscience le plus longtemps possible. Mais une gifle la fit tressaillir.

— T'es pas un peu fou, non ? protesta la voix nasillarde. Faut pas la brutaliser... pas maintenant en tout cas.

Sheryl ouvrit à demi les paupières. Un des hommes était penché sur elle : il avait des traits assez beaux, des yeux noirs, des cheveux raides, gominés, qui reflétaient la lumière de l'unique ampoule accrochée au plafond. Posant ses pouces sur ses yeux, il lui releva les paupières et plongea son regard dans ses pupilles encore brumeuses.

— Elle a l'air de récupérer, dit-il à son complice.

Sheryl essaya de remuer. Elle se rendit compte qu'elle avait les pieds et les mains liés. Ses poignets cisaillés par la corde la faisaient horriblement souffrir, de même que sa cheville foulée. Elle avait la gorge sèche comme du coton.

— A boire, murmura-t-elle.

L'homme la saisit par les épaules et la fit asseoir.

— Je te donne un verre d'eau à condition que tu nous lâches le morceau.

— Le... le morceau ? répéta-t-elle, hébétée.

Elle était sur une paillasse contre un mur, dans ce qui semblait être une cave ou un réduit. L'unique fenêtre, peut-être un soupirail, était obstruée par une couverture. Sheryl discerna deux chaises et une table de bois, sur laquelle étaient posés un porte-documents et deux énormes pistolets. La vue des armes acheva de l'angoisser.

— Allez, bois ! ordonna le second ravisseur en approchant un gobelet de sa bouche.

Elle avala une gorgée et faillit tout recracher. L'eau tiède avait un goût de vase.

L'homme eut un ricanement sinistre. Il était brun, lui aussi, avec des cheveux ras et un nez aplati de boxeur. Comme son acolyte, il semblait d'origine indienne. En son for intérieur, Sheryl le surnomma Nez-Cassé, et son complice, Cheveux-Raides.

— Où sommes-nous ? demanda-t-elle.

— Peu importe, riposta Cheveux-Raides en lui dénouant les poignets. Ce qui compte, c'est l'endroit où vous allez nous conduire, mademoiselle Hancock.

— Vous connaissez mon nom ?

— Ça vous épate, hein ? Inga nous l'a dit ce matin.

— Mme Gunderson ? Mais elle est en prison.

En dépit de la douleur à sa cheville et de la peur qu'elle sentait grandir en elle de minute en minute, elle avait l'esprit suffisamment clair maintenant pour comprendre qui étaient ses ravisseurs. Ils appartenaient au gang recherché par le FBI, la CIA, Interpol et toutes les polices des Etats-Unis, et ils n'étaient sûrement pas du genre à lui faire des cadeaux !

Cheveux-Raides reprit :

— La vieille est en tôle, mais mon frère était dans le magasin de produits vétérinaires quand elle a téléphoné ce matin. C'est lui qui a pris la communication. On l'appelle le Toubib parce qu'il fait des études de médecine. Depuis le début de la semaine, il remplace un vendeur mis hors service par nos soins. Inga avait tout prévu. Elle s'est bien servie du code, mais malheureusement, elle n'a pas eu le temps de nous préciser le jour de l'arrivée de la cargaison.

— Probable qu'un maton la surveillait, dit Nez-Cassé.

— A moins que ce ne soit son avocat, rectifia Cheveux-Raides.

Il approcha une chaise de la paillasse, s'assit à califourchon et dit à Sheryl :

— Maintenant, raconte-nous tout ce que tu sais à propos de la carte postale.

Sheryl le regarda d'un air ébahi.

— Quelle carte postale ?

— La dernière, celle qui venait de Rio.

— Je ne sais pas de quoi vous parlez. Personne ne m'a jamais envoyé de carte postale, ni de Rio, ni d'ailleurs.

Elle ne vit pas le coup venir. Le bras de Cheveux-Raides se détendit comme un ressort et, d'une gifle, il envoya sa tête rebondir contre le mur.

Elle resta étourdie pendant plusieurs secondes qui lui parurent durer une éternité. Sa joue la brûlait, l'élancement dans sa cheville était intolérable. Elle reprit ses esprits et tendit l'oreille. Quelque part, tout près de là, un son lointain, étrangement familier, se fit entendre. Elle connaissait ce bruit ! Elle l'entendait, tôt le matin, dans la salle de tri alors que la ville s'éveillait à peine. C'était le roulement, cadencé et intermittent, des trains.

Elle réalisa soudain qu'elle était prisonnière dans la zone des entrepôts et cette certitude amplifia son angoisse. C'était un quartier complètement désert le samedi. Même si elle hurlait, personne ne l'entendrait et ce n'était pas dans ce réduit que Harry aurait l'idée de venir la chercher. Elle devait trouver un moyen pour obliger ses ravisseurs à l'emmener hors de ce trou à rats.

Cheveux-Raides, exaspéré par son silence, se remit à la harceler.

— Assez de simagrées ! hurla-t-il. On sait que tu travailles à la poste. Tu n'es pas différente des autres et tu ne te contentes sûrement pas d'admirer les cartes qui défilent sous tes yeux sans les lire. Je répète ma question, et cette fois, inutile de me prendre pour un imbécile.

Il la regarda d'un air menaçant et demanda en articulant chaque mot :

— Qu'y avait-il sur la carte que Paul a envoyée de Rio ?

Sheryl fit semblant d'hésiter.

— Je ne me souviens plus très bien. Quelque chose comme : « J'ai dansé pendant cinq jours et j'aurais bien aimé que tu sois avec moi. »

— Cinq jours ! s'exclama Nez-Cassé.

Les deux ravisseurs se livrèrent alors à un calcul, et Sheryl comprit qu'en additionnant le nombre de jours mentionnés sur la carte et le chiffre 911, indicatif des urgences, ils obtenaient la date d'arrivée de la cargaison.

— Le 17, mais c'est demain ! s'exclama Nez-Cassé. Plus qu'une nuit et une journée à attendre !

Cheveux-Raides, qui observait Sheryl avec attention, dut surprendre la lueur affolée dans ses yeux verts, car il demanda, méfiant :

— Tu es sûre que Paul avait écrit cinq jours ?

Elle préféra se taire. L'homme ricana.

— On ne sait jamais, tu as peut-être des trous de mémoire. Un petit sérum de vérité va te rafraîchir les idées.

Il se tourna vers son acolyte et ordonna :

— Apporte-moi la seringue et le produit.

— Non, cria Sheryl, horrifiée.

Il n'était pas question qu'elle laisse ces brutes lui faire une piqûre.

Elle marmonna :

— Peut-être que c'était quatre jours... Oui, je me souviens, maintenant. C'était bien quatre jours.

Un sourire de satisfaction vint détendre les traits patibulaires de ses geôliers. Nez-Cassé fit un rapide signe de croix et s'exclama :

— Doux Jésus, mais c'est ce soir !

— Exact, approuva son complice. C'est pour ça qu'Inga a téléphoné. Pour nous prévenir que Paul arriverait cette nuit. En recommandant de donner au chien « les mêmes pilules que d'habitude », elle voulait dire qu'il n'y avait pas de changement ni dans l'horaire, ni sur le lieu de l'atterrissage. Eh bien ! Elle peut compter sur nous, nous serons là pour prendre livraison de la marchandise.

Sheryl ferma les yeux. Elle pensa très fort à Harry en regrettant de ne pouvoir communiquer avec lui par télépathie. Elle aurait tellement souhaité l'aider ! Elle s'en voulut d'avoir renseigné les bandits puis se rassura en songeant que, de toute façon, si elle n'avait pas parlé d'elle-même, ils lui auraient extorqué de force les informations.

— Toi, tu nous accompagnes, dit soudain l'un des hommes. J'espère que tu ne nous as pas joué un mauvais tour parce qu'on s'en rendra compte tout de suite.

Il la regarda d'un air menaçant et conclut :

— Si Paul n'est pas au rendez-vous, nous allons devenir très méchants. Et cette fois, ce ne sont pas tes pneus qu'on tailladera, mais bien ta jolie petite frimousse.

Loin de l'affoler, cette menace la laissa totalement indifférente. Elle n'éprouvait plus maintenant qu'un sentiment de découragement. Seul un miracle pouvait la sauver et permettre à Harry d'accomplir sa mission. De toutes ses forces, elle pria le Ciel pour que le fameux Paul trouve à son arrivée, non seulement ses complices, mais également une armée de policiers qui mettraient définitivement tout ce beau monde hors d'état de nuire.

« Après tout, se disait-elle avec espoir, peut-être qu'Elise, inquiète de ne pas me voir, a alerté le shérif. Peut-être que ce dernier a prévenu à son tour Harry. Et peut-être qu'il est en train de remuer ciel et terre pour me retrouver... Mais comme disait toujours sa mère : avec des peut-être... »

Au même moment, bien loin de la zone des entrepôts, le sergent Evan Sloan attendait McMillan qui lui avait téléphoné de son portable pour lui donner rendez-vous devant le palais de justice.

Bien que le soleil fût déjà très bas sur l'horizon et que la température eût baissé de plusieurs degrés, Evan avait chaud et sentait la sueur couler dans son dos. Comme il l'avait dit à Fay avant de la quitter, il espérait que McMillan serait plus calme qu'une heure plus tôt, lorsque la police du comté avait localisé la voiture de Sheryl près des quais du Rio Grande. Quand le chef de patrouille lui avait remis son rapport, Fay et Evan avaient vu le « fédéral », habituellement si maître de lui, devenir comme fou.

Dans la boîte à gants de la Toyota, les agents avaient découvert une liste de vêtements ainsi que l'adresse d'une boutique de produits vétérinaires. Ils étaient allés aussitôt interroger le commerçant. L'homme, d'apparence honnête et de bonne foi, se souvenait de la jeune femme et avait été intrigué par le manège de deux individus vêtus de noir, qui avaient fait les cent pas devant son magasin avant de suivre la cliente. Mais ce qui l'avait surpris davantage, c'était, après le départ de la jeune femme, la disparition de son vendeur, un étudiant en médecine d'origine mexicaine, qu'il avait engagé cinq jours plus tôt en remplacement de son employé, victime d'un accident. Il avait donné les coordonnées de l'intérimaire.

Avec l'aide du fichier central, McMillan avait pu identifier l'étudiant, dit « le Toubib », ainsi que le reste de la famille : frères et cousins. Tous étaient soupçonnés de trafic illégal d'armes, mais jamais aucune preuve n'avait été relevée contre eux.

Un examen attentif des communications téléphoniques, reçues par Sheryl au cours de la matinée, avait révélé un appel de Maître Ortega. Immédiatement, McMillan avait téléphoné au juge et exigé d'être confronté une nouvelle fois dans son bureau avec la prisonnière.

Inga Gunderson était déjà arrivée, comme le prouvait le fourgon arrêté un peu plus loin dans l'avenue. Devant la voiture cellulaire, Evan reconnut la Mercedes de l'avocat. McMillan avait affirmé au sergent que, cette fois, la femme parlerait. Evan en doutait jusqu'au moment où il vit la Chevrolet de fonction se garer le long du trottoir. Harry en descendit, claqua la portière derrière lui et franchit d'un pas décidé la distance qui le séparait du sergent Sloan.

Les yeux écarquillés, Evan désigna la boule de fourrure coincée sous son bras.

— Pourquoi vous êtes-vous encombré de cette stupide bestiole ?

— Tout être normalement constitué a un point faible, dit Harry. J'apporte le point faible de la prétendue Inga Gunderson.

— Vous n'allez pas torturer ce chien, protesta Evan, scandalisé. Ce serait aussi cruel que dangereux.

— C'est pourtant bien mon intention.

— Vous savez ce que vous risquez ? Ortega va ameuter la presse et vous aurez tout le monde contre vous, depuis le juge jusqu'à l'Attorney général, en passant par la Société Protectrice des Animaux. Je ne donne pas cher de votre carrière.

Harry eut un geste insouciant du bras et monta les marches du palais de justice, suivi d'Evan complètement bouleversé qui essayait de le retenir.

— Réfléchissez, monsieur McMillan, ça pourrait se retourner contre vous.

Puppy aboya et montra les crocs en essayant d'attraper la main que le sergent tendait vers MacMillan.

Evan s'écarta sans cesser de protester.

— D'accord, c'est une sale bête, mais vous n'avez même pas le droit de la menacer devant la prévenue. Maître Ortega vous accuserait de torturer moralement sa cliente pour la faire parler.

Harry le regarda. Ses yeux brillaient d'une colère froide.

— Je me moque de ce que pourra dire Maître Ortega. A l'heure actuelle, ma mission compte moins que le désir de retrouver Sheryl vivante. C'est moi qui l'ai entraînée dans cette galère et je jure de l'en sortir, par tous les moyens.

— Même en étranglant le chien ?

Harry respira à fond, puis baissa les yeux vers l'animal. Quelqu'un, sûrement Sheryl, avait attaché les longs poils du dessus de la tête avec un ruban rose. Harry le trouva grotesque et se dit que lui-même devait avoir une drôle d'allure avec un Shih Tzu sous le bras. Sa fureur l'abandonna un moment et il esquissa un vague sourire.

— Rassurez-vous, Evan, je ne lui ferai aucun mal. Si je le torturais, Sheryl me haïrait au moins autant que Mme Gunderson. Moi, ça me dépasse qu'on puisse s'enticher de cette chose hirsute, mais c'est comme ça : ni vous ni moi n'y pouvons rien.

Oubliant son aversion pour l'animal, il caressa le toupet de poils avec une gentillesse qui sidéra Evan.

— Alors, pourquoi avez-vous amené ce fichu clebs ?

La main de Harry s'immobilisa. Lorsqu'il releva la tête, son regard brun brillait d'une implacable détermination.

— Le chantage est parfois une arme efficace. Inga doit savoir ce qui va arriver à son petit chéri si elle continue de se taire. C'est la fourrière directement, avec euthanasie à la clé. Croyez-moi, Evan, elle va nous déballer toute la vérité sur ses activités et sur celles de son prétendu neveu.

10.

Le camion roulait vers le Sud. Sheryl s'en rendit compte lorsque les pans arrière de la bâche, mal fixés, s'écartèrent, laissant apparaître un coin de ciel. La nuit était tombée sur la ville, mais à l'Ouest, l'horizon était encore éclairé d'une lueur rose pâle, dernier vestige du couchant.

Après l'avoir remise sur ses pieds, ses ravisseurs l'avaient sans ménagement traînée dehors puis jetée à l'intérieur d'un camion vide. Elle avait eu le temps de lire, sur le flanc de la bâche, la raison sociale d'une importante firme d'appareils ménagers qui possédait un entrepôt derrière le parking de l'annexe postale. Le véhicule, sûrement volé, n'aurait aucune difficulté à pénétrer dans une zone de fret.

A la demande de Sheryl, Cheveux-Raides avait légèrement desserré la corde qui lui entravait les chevilles. Mais pour compenser ce geste d'humanité, il lui avait aussitôt collé sur les lèvres une large bande de sparadrap.

Elle n'avait rien bu depuis que Nez-Cassé lui avait donné un gobelet d'eau, rien avalé de nourrissant depuis son petit déjeuner. Les bandits lui avaient retiré sa montre, volé son sac. Depuis combien de temps était-elle prisonnière ? Quatre, cinq, six heures ? Harry avait promis de l'appeler à son appartement. S'il l'avait fait, se disait-elle, il avait dû s'étonner de son absence. Mais peut-être avait-il été trop occupé par l'étude des listings ?

Sheryl sentit le désespoir l'envahir lorsqu'elle réalisa qu'elle ne le reverrait peut-être jamais et qu'il allait lamentablement échouer dans sa mission.

Elle ferma les yeux et s'efforça de refouler la panique qui la submergeait.

Le camion ralentit, puis freina. Sheryl perçut le bruit d'une discussion et comprit qu'un garde demandait les papiers du conducteur. Il y eut un silence, puis le véhicule repartit à vitesse réduite.

De lointains vrombissements d'avions et des relents de kérosène prouvaient qu'ils approchaient d'un aéroport. Sheryl se dit qu'étant donné le peu de temps qui s'était écoulé depuis leur départ, il ne pouvait s'agir que de l'aéroport international d'Albuquerque. De nouveau, elle pria le Ciel pour qu'à l'arrivée, une escouade de policiers en armes encerclât le camion.

Sa prière ne fut pas exaucée.

Le véhicule s'immobilisa. La bâche s'écarta sur les deux ravisseurs qui tirèrent la prisonnière à l'extérieur. L'endroit était faiblement éclairé, mais Sheryl le reconnut immédiatement. C'était un terrain vague situé à la limite de la zone de fret, derrière le vaste hangar réservé à l'Aéropostale où, du dimanche au vendredi soir, s'effectuaient les opérations de tri automatique.

Elle y avait travaillé à ses débuts, et ce souvenir pour elle était un cauchemar. Jamais elle n'oublierait les cadences qu'on leur imposait. Le courrier arrivait du monde entier par avions-cargos sur une piste spéciale, avant d'être acheminé jusqu'au hangar. Le travail des employés du tri consistait alors à manœuvrer les palettes, décharger les sacs, en répandre le contenu sur les toboggans où une cellule électronique sélectionnait plis et paquets, avant de les envoyer vers les différents bureaux de poste de la région. La tâche était harassante, mais Sheryl avait tenu bon pendant des mois, attendant patiemment d'avoir assez d'ancienneté pour demander enfin sa mutation.

— Nous sommes arrivés, ma jolie, annonça Cheveux-Raides d'un ton moqueur. Et comme nous ne voulons pas qu'un douanier trop curieux te découvre à l'intérieur du camion, nous allons t'enfermer en attendant notre retour.

Ils la saisirent chacun par un bras et la traînèrent jusqu'à une petite porte en fer que Nez-Cassé ouvrit d'un coup d'épaule. Ils poussèrent Sheryl à l'intérieur et Cheveux-Raides promena le faisceau de sa lampe torche un peu partout autour de lui. Elle se trouvait dans un vaste débarras où, sous des canalisations d'air conditionné, s'entassaient des palettes cassées, des cartons et des sacs éventrés recouverts de poussière.

— Tout va bien. Personne n'a mis les pieds ici depuis que je suis venu faire du repérage. La vieille avait raison. La planque est sûre.

Une pile de sacs avait amorti la chute de la jeune femme.

— Vous allez rester ici bien sagement, dit Cheveux-Raides. De toute façon, vous n'avez pas le choix. Nous allons attendre l'avion de Paul. Si vous ne nous avez pas raconté d'histoires, quelqu'un reviendra vous délivrer demain, dès que nous serons à l'abri. Mais si vous avez essayé de jouer au plus fin avec nous, alors je ne donne pas cher de votre peau...

Ils tirèrent la porte derrière eux, la laissant dans l'obscurité du débarras. Elle entendit le cliquetis d'un cadenas qu'ils refermaient à l'extérieur.

La poussière qu'elle avait soulevée en tombant sur le sol lui emplissait les narines. Elle aurait voulu arrêter de trembler, mais elle n'y arrivait pas. Elle aperçut un rayon de lune à travers les vitres sales d'un vasistas situé tout en haut d'un mur.

Peu à peu, ses yeux s'habituèrent à l'obscurité. Elle regarda autour d'elle. Lorsqu'elle travaillait à l'Aéropostale, elle n'avait jamais fait attention à ce débarras. Seules les équipes de nettoyage devaient y avoir accès.

Elle se souvint alors que les employés déposaient les sacs et les cartons défectueux dans des chariots transformés en poubelle. Elle aussi y avait jeté des objets hors d'usage. Surtout des lanières métalliques qui servaient à fermer les cartons et qui étaient si coupantes qu'elle s'y était maintes fois blessé les doigts...

Si seulement elle pouvait découvrir une de ces lanières, elle s'en servirait comme d'un couteau pour trancher ses liens ! A l'autre bout de la pièce, des éclats métalliques brillaient sous la lune. Rassemblant le peu de forces qui lui restaient, elle rampa pour s'en approcher, mais dut s'arrêter à mi-parcours, épuisée, trempée de sueur, le souffle court.

Harry... Où donc était-il ? Pourquoi n'était-il pas venu la délivrer ? C'était un super flic, il appartenait à l'élite de la police. Alors, pourquoi ne l'avait-il pas encore retrouvée ?

Elle reprit sa respiration et poursuivit sa lente progression pour atteindre un carton rempli d'attaches métalliques. Levant les deux pieds, elle le fit basculer, et tâtonna pour saisir une des lanières. Une vive douleur dans ses paumes lui confirma qu'elle avait trouvé ce qu'elle cherchait. Les bords des attaches étaient aussi acérés que des lames de rasoir.

Le lien de ses poignets fut tranché en quelques minutes. Les mains libres, elle arracha le chatterton de son visage et coupa la corde qui entravait ses chevilles. Puis elle eut un instant d'hésitation : devait-elle hurler jusqu'à ce qu'on vînt la délivrer ou tenter de fuir par le vasistas ?

Le samedi était le seul jour où les employés du tri se reposaient. Ils ne reprenaient leur poste que le dimanche après-midi. Elle n'avait donc aucune chance d'être entendue. Elle décida d'opter pour la seconde solution.

Sentant sa liberté proche, elle trouva en elle des réserves inespérées d'énergie. Elle empila des sacs et des cartons le long du mur, les escalada, puis, appuyant de toutes ses forces contre le châssis poussiéreux, elle le fit basculer et se faufila par l'ouverture. Elle retomba lourdement de l'autre côté. Son soulagement d'être libre était si grand qu'elle en oubliait sa cheville foulée et ses paumes ensanglantées.

Les lumières de l'aérogare brillaient au loin. Elle contourna le hangar, se mit à courir et se heurta soudain à une silhouette surgie de l'obscurité.

Deux bras l'entourèrent et la serrèrent à l'étouffer. Immédiatement, elle sut à qui appartenait ce torse puissant.

— Harry !... Oh, Harry ! hoqueta-t-elle.

Il l'entraîna un peu plus loin sous la lueur d'un lampadaire et la regarda avec inquiétude.

— Vous allez bien ?

Brisée de fatigue et d'émotion, elle éclata en sanglots. Il tenta de la consoler.

— C'est fini, ma chérie. Il n'y a plus rien à craindre. Je suis là... Mais vous êtes blessée ! Qu'avez-vous aux mains ?

En même temps, il appuyait son visage baigné de larmes contre son épaule et lui caressait doucement les cheveux. Elle murmura :

— Oh, Harry, j'ai cru que je ne vous reverrais jamais !

— Il m'a fallu un moment pour faire parler Inga.

— Co... comment avez-vous fait ? demanda-t-elle.

— Puppy m'a aidé.

— Puppy ?

— Oui, je vous raconterai ça plus tard. Il faut d'abord que j'aille intercepter ces deux truands dans leur camion volé.

— Non, Harry, non, ne les arrêtez pas encore. Ils attendent l'avion de Paul et le reste de la marchandise.

— Je sais. Venez, Sheryl, je vais vous mettre à l'abri.

Elle l'étreignit à son tour et, pour effacer le souvenir

des heures terribles qu'elle venait de vivre, éprouva soudain le besoin impérieux de lui ouvrir son cœur.

— Harry, je n'ai pas cessé de penser à vous pendant tout ce temps. Je crois... Non, je suis sûre de vous aimer comme jamais je n'ai aimé auparavant. Je voulais que vous le sachiez, bien que l'heure soit mal choisie pour ce genre de déclaration.

— Mon amour, murmura-t-il d'une voix rauque.

Il l'embrassa tendrement et ajouta :

— Moi, j'ai vraiment compris que je vous aimais lorsque la police du comté a retrouvé votre Toyota abandonnée près des quais. La crainte de vous avoir perdue m'a fait mesurer...

Une voix l'interrompit brutalement.

— Les mains en l'air et vite !

Il se retourna et protégea Sheryl de son corps.

— J'ai dit : les mains en l'air ! répéta Nez-Cassé en pointant une arme sur l'agent fédéral.

D'un simple coup d'œil sur le canon, Harry comprit qu'il s'agissait d'un pistolet trafiqué pour utiliser des munitions à tête d'uranium. C'était avec ce genre d'arme qu'on avait tué son ami. S'il tentait la moindre parade, le coup partirait, la balle le traverserait et tuerait également Sheryl derrière lui.

Il leva les bras et sentit son holster pendre comme un poids mort sous son aisselle gauche. A la faible lueur du lampadaire, il reconnut l'homme, dont la photo lui était parvenue dans la soirée. Il tenta de le raisonner.

— Ne faites pas l'idiot, Agustino !

— Comment connaissez-vous mon nom ?

Malgré sa surprise, Nez-Cassé n'avait pas bougé d'un pouce ; sa main tenait toujours fermement le pistolet braqué sur Harry.

— Je sais tout sur vous et sur vos acolytes, reprit McMillan. Vous feriez mieux d'abaisser votre arme, sinon vous allez aggraver votre cas. Les policiers cernent l'aéroport.

— Je sais. Paulo et moi, on a commencé à se méfier quand on a vu tous ces types en bleu de travail. C'est pour ça que j'ai sauté du camion. Pour régler son compte à cette garce qui nous a trahis. Et si je fais d'une pierre deux coups en liquidant un cow-boy fédéral par la même occasion, je serai drôlement content.

— Et ça vous est égal de passer le reste de votre vie en prison ?

Harry se forçait à parler comme si de rien n'était. En réalité il était fou d'inquiétude, car il venait de sentir dans son dos la main de Sheryl qui se glissait lentement sous sa veste pour atteindre le holster. Il savait que la jeune femme détestait les armes à feu. Elle le lui avait souvent répété et il se doutait bien qu'elle n'avait pas la moindre idée de la manière dont on s'en servait. Pourtant, il ne pouvait rien faire d'autre que de garder les mains en l'air et d'essayer de gagner du temps.

— Renoncez à votre vengeance, Agustino, et je vous promets de témoigner en votre faveur. Réfléchissez bien. Si vous nous tuez, Mlle Hancock et moi, vous deviendrez un homme traqué par toutes les polices des Etats-Unis.

Nez-Cassé ricana.

— Jamais un flic n'a encore réussi à me coincer.

— Vous ne sortirez pas vivant de l'aéroport, prédit Harry.

La détonation, à un doigt de son oreille, l'assourdit et une langue de feu lui brûla la joue. Sheryl avait tiré. La balle se perdit dans les briques du hangar, loin de la cible. Mais Agustino avait été si surpris qu'il en avait lâché son arme.

Harry bondit en avant et lui écrasa son poing sur la figure. L'homme s'effondra sans connaissance sur le sol. Harry ramassa son pistolet, le fourra dans sa poche, puis il sortit son portable pour appeler du renfort.

En attendant l'arrivée des policiers, il entreprit de calmer Sheryl. Elle tremblait de tous ses membres. Il prit doucement le Holster qui pendait au bout de son bras, et l'enlaça tendrement tandis qu'elle répétait, horrifiée :

— J'aurais pu vous tuer... Oh, mon chéri, j'aurais pu vous tuer !

Il la fit taire d'un baiser passionné.

Sheryl avait déjà vu le genre de scène au cinéma, mais la réalité cette fois dépassait largement la fiction. Elle se trouvait à l'intérieur d'un car de police hérissé d'antennes. Un grand nombre de voitures de police stationnaient aux alentours dans l'obscurité.

Une fois réconfortée, désaltérée et soignée, elle avait refusé qu'on la reconduise à son appartement. McMillan l'avait alors autorisée à suivre de loin le déroulement des opérations.

Emmitouflée dans un coupe-vent prêté par Evan et trop grand pour elle, elle avait été emmenée dans ce qui semblait être le poste de commandement de la vaste souricière installée dans l'aéroport.

Avec la promesse que son jeune frère, dit le Toubib, ne serait pas inquiété, Paulo, que Sheryl avait surnommé Cheveux-Raides, avait complété les aveux d'Inga et indiqué les cachettes des terroristes et des trafiquants d'armes. Demain à l'aube, une vaste opération de nettoyage aurait lieu dans la région. Pour le moment, les deux ravisseurs, menottes aux mains, attendaient sous haute surveillance dans un fourgon prêt à partir pour la prison. Fay était en train de leur lire leurs droits.

La piste, sur laquelle l'avion-cargo en provenance de Rio devait atterrir dans une vingtaine de minutes, était devenue une véritable nasse, surveillée par une foule de policiers tapis dans l'ombre et armés jusqu'aux dents. La CIA et les Douanes s'intéressaient au chargement. Le FBI attendait les criminels, et McMillan espérait rendre enfin un suprême hommage à son ami en livrant Richard Johnson à la justice.

Assise à l'arrière du car, Sheryl essayait de comprendre

les ordres qu'envoyaient par radio une équipe d'officiers de police, spécialisés dans l'art de la stratégie. Elle n'arrivait toujours pas à croire qu'elle avait réellement appuyé sur la détente d'un 357 Magnum. Jusqu'à présent, ce genre d'acte de bravoure n'appartenait pour elle qu'au domaine du cinéma ou de la télévision. Et c'est vraiment par amour pour Harry qu'elle avait osé saisir le pistolet et tirer. Mais son soulagement, après leur avoir sauvé la vie à tous les deux, n'avait été que de courte durée car bien vite, l'agent spécial du FBI l'avait abandonnée de nouveau pour s'embusquer sur le tarmac où il espérait bien être le premier à accueillir le meurtrier à sa descente d'avion. Une fois de plus, elle était torturée d'angoisse et redoutait le pire.

Pourquoi donc était-elle tombée amoureuse du seul homme qu'elle ne pourrait jamais vraiment aimer?

Tout à l'heure, ils n'avaient même pas pu partager une minute d'intimité. Les renforts étaient arrivés immédiatement et ils avaient dû reprendre chacun la place que la dignité leur imposait. Harry était redevenu un agent spécial, efficace et respecté, et Sheryl s'était installée dans le rôle de l'héroïne malgré elle, victime d'un enlèvement qui avait bien failli tourner au drame. Son courage avait fait l'admiration de tous les policiers.

Autour d'elle, installés devant des micros, des écouteurs sur la tête, les opérateurs radio échangeaient des informations avec les équipes en place. Un haut-parleur diffusait dans le car les informations de la tour de contrôle. Une voix annonça soudain qu'un appareil demandait l'autorisation d'atterrir d'urgence. En entendant l'annonce de ses coordonnées, certains des policiers se levèrent précipitamment. Au même moment, Sheryl aperçut à travers le pare-brise une haute silhouette qui traversait le parking en direction du car.

Elle descendit et courut vers Harry.

— Que se passe-t-il?

— L'Attorney général a décidé que les crimes reprochés à Johnson relevaient de la raison d'Etat. Il doit être emprisonné et jugé à Washington. Un Boeing spécial, envoyé par le FBI, va atterrir et prendre livraison du prévenu après son arrestation. Je vais devoir l'accompagner. Je ne suis pas sûr de vous revoir avant mon départ.

Il serra la jeune femme contre lui. Les yeux pleins de larmes, elle avait baissé la tête. Il lui releva le menton et plongea son regard dans le sien.

— Je reviendrai, mon amour. Je ne sais pas quand. Mais je reviendrai, je vous le promets.

Elle ravala ses pleurs et s'écria, éperdue.

— Oh, Harry, je t'aime tant !

Elle aurait préféré qu'il emporte une autre image d'elle. Sous le coupe-vent, elle se sentait sale. Ses cheveux frisaient lamentablement. Elle devait être livide, les traits creusés par l'angoisse et la lassitude.

Mais Harry ne semblait pas préoccupé par ces soucis d'ordre esthétique. Il contemplait Sheryl avec adoration, et luttait de toutes ses forces pour ne pas l'embrasser avec fougue. Sentant autour d'eux la présence de ses collaborateurs réunis pour attendre ses ordres, il quitta un instant la jeune femme des yeux et constata que ses craintes étaient fondées : leur couple était le point de mire de tous les regards.

— Je t'aime, Sheryl, dit-il à voix basse pour qu'elle seule puisse l'entendre. Je t'aime comme un fou.

— Je t'attendrai, mon amour.

Elle prit une de ses mains dans les siennes et en embrassa la paume en mettant dans ce baiser tout son amour et son espoir.

Une heure et demie plus tard, l'opération était terminée.

Au grand soulagement de Sheryl et de tous les services de police et de douane qui attendaient l'avion en provenance de Rio, Richard Johnson, alias Paul Gunderson, avait été capturé ainsi que les trois complices qui l'accompagnaient. Le reste de l'uranium, volé au Canada, avait été découvert dans les soutes de l'avion. Cette prise confirmait toutes les hypothèses de McMillan sur les circuits qu'avait empruntés le dangereux chargement.

Du car, où elle avait suivi par radio le déroulement de l'opération, l'un des officiers avait désigné à Sheryl les feux clignotants de l'avion spécial qui venait de décoller. Elle les avait suivis du regard jusqu'à ce qu'ils disparaissent dans l'obscurité du ciel.

Les forces de police qui avaient mené l'action sur le terrain regagnaient leurs véhicules. Le sergent Sloan vint chercher Sheryl.

— M. McMillan m'a donné l'ordre de vous reconduire chez vous, mademoiselle Hancock. Vous êtes prête ?

— Oui.

Elle l'accompagna jusqu'à la voiture de service, où les attendait déjà Fay.

Tandis qu'Evan s'installait au volant, Fay se tourna vers Sheryl.

— Avant d'aller à votre résidence, expliqua-t-elle, nous allons faire un petit détour par le poste de police pour récupérer le Shih Tzu.

— Puppy ? s'étonna Sheryl. Mais que fait-il là-bas ?

— M. McMillan l'a confié au shérif en lui recommandant d'en prendre soin.

Evan ricana.

— Je ne serais pas surpris qu'on le retrouve écorché vif, sa peau clouée sur le panneau d'une porte. Si vous l'aviez vu sauter sur mes collègues... Une vraie bête sauvage !

Sheryl s'abstint du moindre commentaire. Elle se sentait déjà suffisamment culpabilisée du fait que Harry avait dû s'occuper du chien au lieu de l'envoyer en fourrière.

Une demi-heure plus tard, à son grand soulagement, elle découvrit que Puppy était toujours en un seul morceau. Elle ne pouvait en dire autant du shérif et de son adjoint. Tous deux avaient le bas du pantalon en loques. A bout de nerfs, ils s'étaient débarrassés de l'animal en l'enfermant dans une poubelle. Sheryl l'extirpa de sa prison, bredouilla de vagues excuses et remercia les deux officiers.

De retour dans sa voiture, elle enfouit son visage dans la fourrure soyeuse du chien qui gémissait de bonheur. Tout en caressant l'animal qui lui léchait la main, elle pensait au Boeing qui emportait au loin l'amour de sa vie. L'appareil avait sûrement déjà franchi la barrière des Rocky Mountains. Elle l'imaginait, volant à présent au-dessus des plaines du Kansas ou de L'Oklahoma. Elle pria avec ferveur pour que le voyage se déroule sans encombre jusqu'à Washington.

Maintenant qu'elle savait que Harry partageait son amour, elle ne doutait pas une seconde qu'il tiendrait sa promesse. Il reviendrait.

Mais quand ?

La capture du meurtrier et la grande opération de nettoyage qui avait suivi étaient des affaires ultra secrètes relevant du FBI. La presse ne fut prévenue que lorsque tout fut terminé. Le porte-parole des fédéraux s'abstint pourtant de parler de la prise d'otage, craignant que la nouvelle ne donne des idées à d'autres malfaiteurs et que les journalistes ne viennent importuner Sheryl.

La jeune femme fut soulagée en lisant les journaux. Nulle part son nom n'était cité. Mais à Las Cruces, Joan Hancock, toujours à l'affût de ce qui se passait à Albuquerque où vivait sa fille, s'inquiéta. Elle téléphona à Sheryl pour avoir plus de détails sur ce que la presse appelait : « Un coup de balai chez les terroristes ».

Sheryl ne put refréner son enthousiasme en lui parlant de l'agent spécial Harry McMillan à qui revenait tout le mérite de cette victoire. Joan l'écouta sans faire de commentaire. Elle se contenta de demander des nouvelles de

Brian, puis d'annoncer que, dès qu'elle aurait trouvé quelqu'un pour la remplacer au magasin, elle viendrait passer quelques jours auprès de sa fille.

Sheryl soupira. Elle adorait sa mère, mais craignait les pénibles discussions qui allaient inévitablement éclater lorsqu'elles se retrouveraient. Quand Joan saurait que sa rupture avec Brian était définitive et qu'elle connaîtrait la nature exacte des sentiments de sa fille pour le séduisant agent du FBI, elle ne manquerait pas de lui rappeler le long calvaire qu'elle-même avait enduré en épousant un homme qui préférait courir le monde que de rester à la maison.

Et Sheryl n'avait pas du tout envie de l'entendre vanter les mérites du gentil mari, sérieux et fidèle, qu'aurait été Brian.

11.

La baie du salon était grande ouverte. Un buffet garni de petits-fours et de sandwichs était dressé sur la terrasse, qu'ombrageait un immense velum rayé bleu et blanc.

Une coupe de champagne à la main, une quinzaine d'invités bavardaient joyeusement. Sheryl avait organisé cette petite réunion chez elle à l'occasion du baptême du jeune Brian Hart, âgé aujourd'hui d'un mois. La cérémonie avait eu lieu deux heures plus tôt. Tous les employés de la poste étaient réunis autour de Brian Mitchell, Elise et ses deux aînés. La veille, Joan Hancock avait fait le voyage en voiture depuis Las Cruces, afin d'assister au baptême et de passer deux ou trois jours à Albuquerque. Le soir de son arrivée, elle avait reçu les confidences de sa fille et n'ignorait plus rien, désormais, des sentiments de Sheryl pour Harry McMillan.

Sa première réaction avait été la surprise, puis elle avait paru infiniment peinée. Il lui semblait impensable que Sheryl ait pu commettre l'erreur de rompre définitivement avec Brian, alors qu'il était, selon elle, le mari rêvé. Elle ne pouvait s'empêcher d'accuser Elise d'avoir manœuvré pour séduire Brian.

— Elle a toujours été amoureuse de lui, insistait Joan. Et elle a beau être ta meilleure amie, je suis persuadée qu'elle a profité d'un moment de faiblesse de ta part pour te voler ton fiancé. Je t'en supplie, ressaisis-toi.

Mais Sheryl n'avait pas du tout envie de se ressaisir. Elise et Brian étaient heureux ensemble, et elle-même ne pensait en ce moment qu'à Harry.

Après avoir soupiré, Joan avait trouvé une explication à l'attitude incompréhensible de sa fille et l'avait exprimée d'un ton catégorique.

— Tu as été traumatisée par tous les événements que tu as vécus. Ce policier t'a subjuguée en t'entraînant dans une épopée digne d'un feuilleton télévisé. C'est tout à fait compréhensible, mais à présent, il faut revenir sur terre ! Depuis près d'un mois qu'il est parti, ce McMillan se contente juste de te passer un coup de téléphone de temps en temps. Tu ne comprends donc pas comment fonctionne ce genre d'homme ? Loin des yeux, loin du cœur ! Il t'a presque oubliée à l'heure qu'il est. Quand je pense que tu allais épouser un jeune homme si attentionné...

— Je t'en prie, maman, tais-toi !

Sheryl avait mis tant d'énergie dans son ton, que sa mère, comprenant sans doute qu'elle était allée trop loin, avait instantanément mis fin à son sermon. Depuis, elles avaient l'une et l'autre évité soigneusement d'aborder ce sujet brûlant...

Profitant d'un moment où tous ses invités étaient dehors, Sheryl se glissa dans le living et se dirigea vers le téléphone. Le répondeur était branché. Peut-être avait-elle un message ?

En passant, elle jeta un coup d'œil sur le couffin où dormait le bébé. Elise l'avait posé sur un des divans, et Puppy montait la garde.

Curieusement, le Shih Tzu avait adopté la mère et l'enfant lors d'une précédente visite et leur réservait désormais le même l'accueil qu'à Sheryl lorsqu'elle revenait de son travail. Comme Sheryl s'étonnait de son attitude, Elise lui avait rétorqué que cela n'avait rien d'extraordinaire. Elle avait lu dans un roman historique que, jadis, les empereurs de Chine recherchaient cette race de chiens pour la garde des enfants royaux. L'instinct de protection des bébés était dans les gènes de Puppy.

Au fil des jours, Sheryl avait découvert que le Shih Tzu était beaucoup plus intelligent qu'elle ne l'avait cru. Il comprenait bon nombre d'ordres, mais n'obéissait que s'ils lui étaient donnés d'une voix douce.

En ce jour de réception, snobant royalement les visiteurs, il s'était perché sur le dossier du divan et veillait sur le précieux contenu du couffin.

Voyant clignoter le voyant rouge sur le répondeur, Sheryl sentit son cœur bondir dans sa poitrine. Harry avait peut-être appelé ?

Elle appuya sur une touche et ferma les yeux pour écouter la voix qui lui disait avec tendresse :

« Rien de nouveau, mon amour. Tu me manques et je pense à toi. En cas d'urgence, tu peux me joindre sur mon portable. A bientôt ! »

Alors que Sheryl appuyait sur une touche pour réécouter le message, la voix de sa mère résonna dans son dos.

— Il n'y a plus de sandwichs au caviar... Oh, pardon, chérie, je ne savais pas que tu étais au téléphone. Qui était-ce ?

Sheryl se retourna et regarda sa mère, très élégante dans sa robe gris perle, mince, le chignon blond impeccable, le visage lisse sans rides...

— C'était Harry, annonça Sheryl.

— Quand revient-il à Albuquerque ?

— Il l'ignore. Le procès de Johnson n'est pas terminé, et comme il est le témoin principal, il est obligé d'y assister.

Joan fronça les sourcils.

— J'aimerais tout de même connaître ce monsieur. Quel âge a-t-il ? Où sont ses parents ? Possède-t-il une maison ? Quel est exactement son grade dans la police ?

— Harry a trente-six ans. Ses parents sont morts lorsqu'il était adolescent. Il est docteur en droit et dirige au FBI une section de lutte contre le grand banditisme. Il est envoyé en mission par son administration et ne possède par conséquent ni maison ni appartement. Ce curriculum vitæ te convient-il ?

— Le début oui, à la rigueur. Mais je n'apprécie pas du tout la fin. Ce McMillan exerce un métier dangereux qui l'oblige à être plus souvent sur les routes ou dans les avions que chez lui. Or, tu connais mon opinion sur ce genre d'homme. Il va te rendre malheureuse. Alors que ce cher Brian...

— Non, maman, non, une bonne fois pour toutes, mets-toi dans la tête que Brian et moi, c'est fini !

— Il est le parrain du dernier-né d'Elise, et toi, la marraine. Tout à l'heure, quand je vous voyais tous les deux près des fonts baptismaux, je ne pouvais m'empêcher de penser que...

Sheryl l'interrompit.

— Nos relations restent amicales. Je n'ai aucune raison de me fâcher avec lui, même si un jour il épouse la mère de son filleul.

— Et toi, tu continueras d'attendre désespérément quelqu'un qui ne reviendra peut-être jamais...

Ses yeux verts, si semblables à ceux de sa fille, s'embuèrent, et elle ajouta :

— Tu me déçois beaucoup, ma chérie. Moi qui étais si heureuse de savoir que ton mari serait toujours près de toi pour partager tes rêves et tes chagrins...

Elle eut un petit sourire contrit et conclut en pouffant de rire :

— ... et réparer les robinets qui fuient.

Sheryl l'embrassa affectueusement sur les deux joues.

— Rassure-toi, je sais très bien me servir d'une clé anglaise.

Et elle ajouta gravement :

— C'est vrai qu'en ce moment, je me sens seule, et que c'est difficile à supporter, mais j'aime Harry et il m'aime... Maintenant, si tu le veux bien, retourne avec nos invités. J'ai une réserve de sandwichs dans le réfrigérateur. Je vais la chercher et je vous rejoins dans quelques minutes.

Signifiant ainsi à sa mère que la conversation était close, elle espérait bien par la même occasion dissimuler à Joan son angoisse. La veille, sa mère avait ébranlé ses certitudes en lui reprochant d'être éprise d'un homme qu'elle connaissait à peine. Joan se méfiait des coups de foudre et de leur pouvoir destructeur. Leur éclat flamboyant n'était à ses yeux qu'un feu de paille, vite éteint et réduit en cendres. L'image avait frappé Sheryl et réveillé ses doutes et sa peur.

Depuis un mois qu'il était parti pour Washington, Harry n'avait tout de même pas travaillé sept jours sur sept ! Pourquoi n'avait-il pas trouvé le moyen de se libérer, ne serait-ce que le temps d'un week-end, pour venir la rassurer et lui dire, les yeux dans les yeux, qu'il l'aimait ? Il l'avait entraînée au sommet du plaisir et quand elle évoquait leurs folles caresses, le picotement de sa moustache sur sa peau, les baisers passionnés qu'ils avaient échangés, elle en défaillait encore... Elle n'avait qu'une envie : se blottir au creux de ses bras et contempler avec amour son beau visage. Mais lui, était-il aussi impatient de la retrouver ? Eprouvait-il les mêmes émotions quand il pensait à elle ?

« Loin des yeux, loin du cœur », avait dit Joan. Et si elle avait raison ?

En dépit de sa conviction que Harry était incapable de lui mentir et qu'il méritait qu'elle souffrît pour lui tous les tourments de l'attente, elle trouvait le temps bien long. Heureusement, son travail à la poste était un excellent remède contre l'angoisse. Et le soir, quand elle rentrait chez elle, la joie de Puppy lui mettait un peu de baume au cœur.

Elle se demanda avec angoisse si elle n'allait pas bientôt ressembler à ces vieilles filles éternellement seules dont la seule consolation était leur petit animal de compagnie...

Avant son transfert dans une prison de Santa Fe, Inga Gunderson, condamnée à dix ans de réclusion, lui avait adressé un petit mot que Fay était venue lui remettre. La vieille femme offrait à Sheryl son cher Puppy et lui recommandait de le choyer comme elle l'avait toujours fait elle-même. Un mois plus tôt, Sheryl se serait bien passée de cet héritage, mais aujourd'hui, c'est avec joie qu'elle acceptait d'adopter cette boule de poils qui lui rappelait tant de souvenirs.

Les jours s'écoulaient avec une monotonie désespérante. A chaque instant, Sheryl se surprenait à penser à Harry. Elle ne passait plus devant une pizzeria sans se souvenir de leur folle soirée d'amour. Le gros chat persan qui narguait Puppy du haut du muret lui rappelait sa course dans le labyrinthe de ruelles où elle s'était perdue et son retour dans l'appartement où Harry l'attendait, fou d'angoisse. La scène furieusement érotique qui avait suivi l'avait transportée au septième ciel mais, chaque fois qu'elle revivait leurs ébats sensuels, son ravissement se mêlait d'appréhension. Car elle était presque sûre, depuis deux jours, qu'elle attendait un bébé...

Si elle l'appelait pour lui annoncer la nouvelle, Harry accourrait vers elle, abandonnant toutes les obligations qui le retenaient à Washington.

Mais quinze jours s'étaient écoulés depuis le baptême du petit Brian, les messages de Harry étaient de plus en plus rares, et Sheryl était bien trop orgueilleuse pour frapper à une porte qui semblait se refermer tout doucement devant elle.

*
**

— Oh, tu as vu ? Une carte de Tahiti !

Ayant estimé que six semaines après sa naissance, elle pouvait laisser son bébé à la garde d'une baby-sitter, et ses deux aînés à son ex-belle-mère, Elise avait repris son travail à la poste. Ce matin-là, elle était au tri à côté de Sheryl.

Celle-ci repoussa la carte que son amie lui montrait. Elle avait eu sa dose de surprises et de mésaventures avec les cartes postales et elle s'était promis de ne plus jamais s'y intéresser.

— Mais regarde donc, insista Elise. C'est magnifique ! Cette mer bleue, ce sable blanc, ces palmiers... On croit rêver !

Sheryl y jeta un bref coup d'œil et s'imagina soudain sur une plage avec Harry. Elle ferma les paupières pour mieux voir le grand corps bronzé par le soleil, les cheveux noirs ébouriffés par la brise... La vision lui noua la gorge.

— Tu te sens bien ? lui demanda Elise, inquiète.

Sheryl tressaillit, revint à la réalité et sourit à son amie.

— Naturellement que je vais bien.

— Et moi, je suis sûre que tu penses toujours à ton beau cow-boy.

Sheryl montra la carte qu'Elise venait de jeter dans un casier postal et mentit effrontément.

— Je pensais seulement que ce doit être passionnant de découvrir des pays lointains.

— Tahiti, les îles du Pacifique, dit Elise, l'air rêveur. Si un jour je me remarie, c'est là que je j'irai en voyage de noces.

Tout en triant le courrier devant elle, Sheryl demanda d'un ton neutre :

— Te remarier... avec Brian ?

Elise esquissa un geste incertain des épaules.

— Il ne m'a encore rien proposé. Tu le connais, il doit peser le pour et le contre. Ce n'est pas évident de se retrouver du jour au lendemain à la tête d'une famille de trois enfants dont il n'est pas le géniteur. Il adore mon petit dernier, c'est sûr, et les deux plus grands lui obéissent au doigt et à l'œil, mais j'ai l'impression que quelque chose le retient... une sorte de remords.

— Il n'y a plus rien entre nous, dit Sheryl d'un ton catégorique. Je me suis expliquée avec lui à ce sujet et je ne vois pas ce qui pourrait le retenir s'il voulait fonder un foyer avec toi.

— Il se sentirait peut-être plus libre si ton aventure avec Harry ne s'était pas interrompue aussi brutalement. Il y a combien de temps maintenant qu'il a quitté Albuquerque ?

— Un peu plus de six semaines. Mais il a promis de revenir. Il reviendra. Tu peux le dire à Brian.

Sheryl pensait qu'en dépit de la longue conversation qu'elle avait eue avec son amie, Elise conservait à son égard un sentiment de culpabilité qui finirait bien par s'estomper avec le temps... du moins l'espérait-elle. Elise et Brian étaient faits l'un pour l'autre et formaient un très beau couple.

Comme elle et Harry...

Elle continuait à espérer qu'un jour, il se souviendrait d'elle et, même si elle devait passer sa vie à l'attendre, elle l'attendrait.

Elle leva la tête vers l'horloge murale et se félicita. Ce matin, peut-être parce que tous les employés étaient arrivés à l'heure à leur poste, le tri était terminé dix minutes avant l'ouverture des guichets. Dix minutes de pause bien méritée !

Elle se retourna pour lancer dans un chariot une poignée de prospectus et s'immobilisa, la main levée, incrédule, persuadée qu'elle était le jouet d'une hallucination.

Sur le seuil, debout dans le soleil qui entrait à flots par la porte grande ouverte, une haute silhouette se tenait près de Pat Martinez...

Mais non, elle ne se trompait pas. Il n'y avait qu'un homme au monde pour porter avec cette aisance de seigneur une veste aussi froissée.

— Harry !

Elle vola vers lui, semant des prospectus partout à travers la salle.

Il la prit dans ses bras, la souleva et la fit tourbillonner comme une petite fille avant de la remettre sur ses pieds. Etourdie, elle faillit perdre l'équilibre et passa ses bras autour de son cou pour qu'il l'embrasse, tandis que tout basculait de nouveau autour d'elle.

Abandonnée, éperdue de bonheur, elle le laissa dévorer sa bouche. Dieu que c'était bon ! Le baiser de Harry était fidèle au souvenir qu'elle en avait gardé : brûlant, sauvage, affamé.

Lorsqu'ils s'écartèrent pour reprendre leur souffle, les questions se bousculaient dans la tête de Sheryl. Elle posa d'abord celle qui lui brûlait les lèvres :

— Depuis quand es-tu à Albuquerque ?

— Mon avion a atterri il y a environ trois quarts d'heure. J'ai pris un taxi et suis venu directement ici.

Il l'embrassa de nouveau à la grande joie des employés qui les regardaient.

— Pourquoi ne m'as-tu pas prévenue? J'aurais demandé quelques jours de congé.

— Ton congé est accordé, dit Harry en voulant l'entraîner à l'extérieur.

Elle résista.

— Comment ça, accordé ? Mais je n'ai rien demandé, s'étonna-t-elle.

Pat Martinez intervint et expliqua avec gravité :

— Le directeur général des Postes m'a communiqué ce matin un fax qui émanait du ministère de la Justice, à Washington. « Mlle Hancock, en remerciement de l'aide efficace et courageuse que vous avez apportée au FBI, il y a plus de six semaines, vous êtes citée à l'Ordre de la

Nation par l'Attorney général. Un diplôme vous sera remis ultérieurement et un congé de trois semaines vous est accordé, que vous pouvez prendre dès maintenant. »

Un tonnerre d'applaudissements retentit dans la salle.

— Une semaine pour obtenir les papiers nécessaires à notre mariage et deux semaines pour le voyage de noces... Cela me paraît un peu juste, dit Harry, d'un ton faussement préoccupé.

— Les administrations ne sont jamais très généreuses, répondit Pat sur le même ton. Mais si ça vous arrange, je peux peut-être y ajouter quelques jours.

Les yeux élargis de stupeur, Sheryl se demandait si elle ne rêvait pas. Elle ouvrit la bouche, la referma, l'ouvrit dè nouveau et balbutia :

— Si c'est une blague, Pat, ce n'est pas drôle.

Toute l'assistance retenait son souffle.

Harry étreignit de nouveau la jeune femme et son visage exprimait une telle tendresse que Sheryl en eut les larmes aux yeux.

Il dit doucement :

— J'ai quitté Washington, cette nuit, dès la fin du procès qui a condamné Richard Johnson à la perpétuité. C'est pourquoi je n'ai pas eu le temps d'acheter la bague de fiançailles que je voulais t'offrir.

Il eut un petit sourire contrit et reprit d'un ton solennel :

— Ma déclaration, je le reconnais, n'a rien de romantique. Je sais que je devrais mettre un genou à terre pour te demander de devenir ma femme, mais tu sais bien qu'avec moi, rien ne se passe jamais comme prévu. Et comme les bureaux de poste vont ouvrir dans quelques minutes, devant tes amis, je te le demande : Sheryl Hancock, veux-tu m'épouser ?

— Quelle question stupide ! s'exclama Elise derrière eux. Depuis six semaines, elle ne pense qu'à vous et au moment où vous viendrez enfin la prendre dans vos bras.

Les yeux pétillants, Harry regardait Sheryl.

— C'est vrai, ça ?

— Oui, dit Sheryl dans un souffle.

Toute la salle recommença à applaudir. Buck Aguilar qui, exceptionnellement, avait pris son service tôt le matin, interpella Sheryl d'un ton enjoué :

— N'oubliez pas de nous prévenir du jour de votre mariage. Nous serons tous là avec du riz, du champagne et des confettis.

Elise rattrapa les amoureux alors qu'ils se dirigeaient vers le parking.

Elle donna une vigoureuse poignée de main à Harry et embrassa Sheryl qui paraissait complètement déboussolée.

— Partez tranquilles en voyage de noces, je garderai Puppy.

— Je l'avais oublié celui-là, dit Harry en riant. Merci, Elise.

Harry prit sa valise dans le taxi qui l'attendait, puis monta dans la Toyota. Assise au volant, Sheryl se demandait si elle n'était pas en train de rêver. Le bras de Harry autour de ses épaules et le tendre baiser qu'il lui donna la convainquirent que tout était réel. Il était enfin revenu, son beau chevalier ! Il l'aimait et voulait l'épouser.

Avant de tourner la clé de contact, elle se tourna vers lui et le contempla sans pouvoir dissimuler son émotion.

— Oh, mon amour, tu m'as tellement manqué ! Mais j'étais sûre que tu reviendrais.

— Moi aussi le temps m'a paru long, dit Harry en la serrant contre lui. Je pensais constamment à toi, à Washington pendant ce procès qui n'en finissait pas et la nuit, je réfléchissais à notre avenir.

Il se tut et la regarda.

— L'angoisse et l'attente font partie de cet avenir, Sheryl, reprit-il, l'air inquiet.

— Je t'aime, Harry, et je suis sûre d'être assez forte

pour supporter la solitude, pendant que tu poursuivras d'autres criminels.

— Il y a peut-être une autre solution. Dans un mois, le directeur des Services Fédéraux d'Albuquerque prend sa retraite. En haut lieu, on m'a proposé de reprendre son poste. Que dirais-tu si j'acceptais ?

Un espoir fou illumina les yeux de Sheryl. Harry rentrerait tous les soirs à la maison ? Quel bonheur ! Mais elle chassa aussitôt cette vision. Elle n'avait pas le droit de demander ce sacrifice à Harry. C'était un baroudeur, il aimait le travail sur le terrain et dépérirait s'il se retrouvait enfermé dans un bureau.

— Ce serait merveilleux, mon chéri, mais je suis certaine que tu regretterais très vite tes anciennes fonctions.

— Auprès de toi, je ne regretterai jamais rien, à part le fait que nous avons déjà perdu trop de temps.

— Oh, mon amour !

Ils s'embrassèrent de nouveau, et Sheryl décida qu'elle lui annoncerait sa bonne nouvelle à elle plus tard, sur l'oreiller. Elle imaginait à quel point Harry allait être heureux et fier.

Pendant le trajet jusqu'à l'appartement, il parla de leur voyage de noces. Ils iraient à Venise, reviendraient par la Côte d'Azur et pousseraient même jusqu'à Paris... Eblouie, heureuse, Sheryl en l'écoutant voyait s'ouvrir devant elle la perspective d'un monde nouveau, plein de rires, d'amour et de projets. Auprès de Harry, rien ne serait jamais plus comme avant.

Au premier feu rouge, il se pencha vers elle et lui donna un baiser si tendre, si passionné, qu'elle s'abandonna avec délices dans ses bras, sourde au concert de Klaxon exaspérés qui retentissaient derrière eux.

Chère lectrice,

Vous nous êtes fidèle depuis longtemps?
Vous venez de faire notre connaissance?

C'est pour votre plaisir que nous avons imaginé un rendez-vous chaque mois avec vos auteurs préférés, vos AUTEURS VEDETTE dans les collections Azur et Horizon.

Les AUTEURS VEDETTE vous donneront rendez-vous pour de nouveaux livres vedette.

Pour les reconnaître, cherchez l'étoile... Elle vous guidera!

Éditions Harlequin